肖川教育随笔㊀

教育的理想与信念

THE IDEAL AND FAITH OF EDUCATION

肖川 著

岳麓书社

目录

序

劳凯声

我读肖川的文章久矣，我觉得他的文章是美文。喜也，怒也，哀也，乐也，或似淡雅的香茗，或胜陈年的烈酒，无不体现着一种对美的追求和趋从。

也许是教师生涯所养成的一种职业习惯，或者是成人社会所共有的一种集体无意识，我们已经看惯了也写惯了那类板起脸来说教的文章。然而，在当前这个纷繁复杂的世界里，教育能否建起一道无形的篱笆，保持一种率真的勇气和向善的本性，这并不是简单地通过说教就可以实现的。因此，关心“人”的成长应该是教育的一种情怀。

教育究竟应该如何去培养年轻一代，应该培养什么样的人，这是自教育产生以来人们一直关注并不断进行探讨的问题。自从学校机构和教师职业产生以来，教育就是一种高度专门化的培养人的活动，这就是说，教育这件事情并不是任何人在任何情况下都可以进行的，它意味着一种神圣的使命感和责任心，一种特殊的情怀。

教育首先应该是“人”的教育，而不是知识、文化或政治、法律的传授和灌输。俄国人洛扎诺夫曾经说过：理想的东西应当尽可能地保持个性，因为这是人及其创造中最可珍贵的东西、最美好的东西。哪里的个性没有得到保存，受到压抑或被忽视，哪里的教育就不能完全实施。只有作为个人，而不是“一个一般的人”，才能在思想和感情上有所建树，才能坚持不懈地追求。真正的学校应当是“日常生活化的”，学校不应当拘泥于规则和机械惯性式的死板运作的体制，而应当促进不用语言、不用教诲，而凭本身的气息和意义起到教育作用的日常生活方式自发地出现在学校里。然而这一点却似乎没有得到人们应有的重视。我们的教育似乎更多关注的是儿童对文化知识的掌握情况以及其对规章制度的依从态度，而他们本该养成的作为“人”的基本素质则被掩盖在教育的这种社会职能之后，被有意无意地忽略了。我们培养了许多天才与神童、许多专家与学者，在他们身上却难寻真情的流露、个性的释放。我们的社会中有太多的循规蹈矩之人，他们学富五车，却缺少开拓创新的精神，缺少必要的公民素质、仁爱精神，甚至缺少基本的仁义之心，同胞相妒、手足相残。因此，教育的任务首先不在于教会受教育者多少知识和本领，它最基本的任务是教他们如何去发现生活世界中的真诚、善良和魅力，教他们用一颗真诚的心去融入社会、理解他人、关爱生命。

法国哲学家蒙田曾最激烈地抨击那种“依赖式的和乞丐式的才能”，他描绘了那种满是知识而无心灵的教育的弊端：“草木因太潮湿疯长而郁闷，灯儿因油上得太满而窒塞；心灵的活动也胶滞于过多的智识与钻研，因为既受这许多繁杂的事物所占据和羁绊，它必定失掉自由行动的能力，而这些事物的重量也必定使它弯曲佝偻起来……我们只孜孜不倦地去充塞我们的记性，任我们的悟性与良心空虚。正如有些鸟儿间或外出寻觅谷物，未经尝过便用嘴带回去哺喂小鸟儿。同样，我们的学究们到书里去拾取知识，把它带在唇端，只为要吐出来使散布于空中”，他们“至少应该带一颗丰盈的灵魂回来”。蒙田所向往的那种心灵丰富并不是一朝一夕所能达到的，它需要细心的呵护、耐心的培养、不断的陶冶与濡染。这就需要教育发挥它真正的功能。教育理论研究者应该研究、阐发、宣传这种教育的理想和信念，应该躬身实践这种理想和信念。

肖川博士在紧张繁忙的教育教学工作之余，一直笔耕不辍，发表了大量的教育随笔，使之成为他宣传教育理想信念的一个有力武器。他的教育随笔清新隽永，收放自如，无论是“作为人文学的教育学”、“教育即解放”、“教育给了我们什么”，还是“教育的期待”、“真诚的言说”，均在一个个看似轻松的话题中高扬着对人的终极关怀。

一万个人就会有一万种不同的教育理想和教育信条。这本书体现的只是作者的教育情怀。大家尽可以评头品足、见仁见智。但愿每一种教育的理想和信条都跳动着一颗质朴纯真的心，洋溢着对教育、对人本身的关怀。是为序。

序

张文质

1. 我们因为文而彼此相识。第一次见面是在北京北太平庄的某个宾馆,我惊讶地看到肖川带着一瓶红酒,其实那天在他家乡驻京办的湘菜馆里我们除了说话几乎没吃什么,然后就到附近的公园散步。有时还真需要有一种恰当的方式便于彼此进一步“发现”。后来我多次坐在会场里观看、倾听肖川的教育讲演,他是收放自如、声情并茂的小巨人。我也曾这样描写他:“当肖川挂电话要在杂乱的办公室找一个人时,却非常缺乏信心,‘啊,我想找张文质先生,对,我要找张文质先生……’”,他的乡音固执而奇怪,他说自己对之比较放任。当他这样描述自己时,神情显得有点羞涩。他显然试图从生理上再一次肯定自己的惟一性,“无论何时,我只能站在自己一边,这才是最大的真实”。自从第一次见面之后,我就意识到他身上有一种可贵的力量,他的探索正是“始于不可能,始于例外,始于绝境的”,“从明天起,和每一个亲人通信/告诉他们我的幸福/那幸福的闪电告诉我的/我将告诉每一个人”(海子诗)。阅读肖川也许就意味着我们又朝自己迈出决定性的一步。我们分享着这个时代的梦想与温暖。我们生命中有一种奇妙的“存在的激情”。

2. 实际上,尽管由我负责编辑的两份教育杂志始终有肖川的专栏,每次出门我甚至会带上肖川文稿的各式打印件，它是如此丰富而连绵不断——旅途中精神的美妙享受，冥想时不断由肖川的文思激荡而获得的更深刻的对教育的省悟，他曾经给予我很多有力的鼓舞，——我却由于无法排除的自身的阻力，而不愿轻易进入一种“认知与辨别”活动之中。我仅仅看到，他一直是“另一个”，这几乎就是他的宿命所在，就是他用力的方向。他不断培植着对自己生命的敏感，看起来他越来越适应这个世界，但同时似乎也看透了这个世界的空虚，有时，他简直派定自己作为一个正在期待中，也许将要生长出第一片嫩芽的新教育的代言者，正如他所说的“教师对学生的成长负有道义上的责任”。在他的追问中，始终怀有一种正当的力量，“个人是最珍贵的”。“良好的教育一定能够给无助的心灵带来希望，给稚嫩的双手带来力量，给蒙昧的双眼带来清明，给孱弱的身躯带来强健，给弯曲的脊梁带来挺拔，给卑琐的人们带来自信”，相信教育的正义与高尚，也就是相信人类精神锋利的光芒。我们可以嗅出这里的乌托邦气息，看到一颗没有被黑夜与习俗所摧毁的童心在跳动。童心总是与帝国作对。童心可以使“另一种声音”冲破各种钳制与规范，而赢得自己的旋律。

3. 我喜爱某些文字。有时仿佛有一种幸福等待着你分享，它是如此恳切、热情、执着，它甚至是如此激烈、偏执，闪烁着“片面的深刻”，散发着自由思想的力量；它力图和你一起重新理解做一个堂堂正正的人，一个富有理性精神、有教养有独立人格的人的生命意义，促使你和它一起谋划怎样真正参与到人的全部生活，它就是对自由心灵的拥抱。这些热血文字，因为思想的开放性、彻底性而越发清澈、敞亮。它同时也是有争议和充满危险的，因为它必须对自己的时代做出交待。它所有的热情几乎就建立在这种交待与质疑之上。

4. 他认为教育就是对话与分享。他说自由言说带给我们的是“平等的对话,思想空间的广袤与智慧的开启”。他告诉别人最美妙的事情莫过于“在忙碌了一天之后,在沉沉的夜色下,挑一盏孤灯,或伴一杯香茗,细细阅读”;他说要“与经典为友”,“心与书的交流,是一种滋润,也是内省与自察”;他歌咏“大学真好”,为闲暇、自由思想、生活的明丽与清新致敬……在肖川美好的文字背后，是人性的多姿多彩，是无数蓦然回首之后的动情时刻,“心灵因为细腻而伟大”(摩罗语),心灵因关怀而多情。里尔克甚至说:“歌咏就是存在”,体验生活的美妙意味是一个需要修炼与学习的过程,更需要心灵对世界深刻、持久的凝视。

5. 他是个倾诉者。他享受着倾诉者的快乐。他在深夜与自己“推心置腹”,他对鲜活、灵动的文字难以掩饰自己的痴迷,他甚至宁愿“因文害义”,他只想做一个文人。在他的坦率、执着中有一种生命的优越状态,有一种对不可能的始终高于你的苍穹的仰望。这也许就是为人为学的底气。我会时常想到这个人的“双眼多么炯炯有神啊”,我几乎要祈望所有的人都读到这样的文字，谁又能无动于衷呢:

“什么是良好的教育呢?也许我们很难给予它一个周全的描述,但我们可以非常肯定地说,如果一个人从来没有感受过人性光辉的沐浴，从来没有走进一个丰富而美好的精神世界:如果从来没有读到一本令他(她)激动不已、百读不厌的读物，从来没有苦苦地思索过某一个问题;如果从来没有一个令他(她)乐此不疲、废寝忘食的活动领域,从来没有过一次刻骨铭心的经历和体验;如果从来没有对自然界的多样与和谐产生过深深的敬畏，从来没有对人类创造的灿烂文化发出过由衷的赞叹……那么,他(她)就没有受到过真正的、良好的教育。”

自序：直抵内心的言说

您手中的这本小册子所收录的，是我近年来创作的教育随笔。教育随笔，作为一种教育思想的表达方式，受到越来越多的有识之士的厚爱与青睐。原因恐怕就在于教育随笔自身的内在质素。在我看来，教育随笔，得其真味的也许就在一个“随”字：随和，随意，随缘。

随笔，没有居高临下的霸气，没有正襟危坐的俨然，没有煞有介事的虚假，没有耳提面命的烦闷。像朋友之间的抵膝而谈，不求全面，不求“客观”，不求严谨，甚至也不求立论的“公允”、命题的“科学”；只求遣一己之意趣，痛快淋漓地嬉笑怒骂。它不奢望成为重大决策的依据，也不企望成为学术积累的文献。它表达一种情怀，一种趣味，一种心境，一种追求。文章本由心而生。也许，表达所产生的快乐是人们写作的真正动力，至少对我来说是这样。

不急不躁，不温不火，漫不经心，亲切自然，这大概就是随笔的品性。它可能非常的温情，非常的纤细，非常的文质彬彬，非常的布努乔亚，因而就可能异常的隽永，异常的精致，异常的耐人寻味。尽管我还做得很不好。“虽不能至，心向往之”吧，也算一种追求。毕竟，附庸而后风雅。

随笔不是投枪，不是匕首，不是檄文，也不是战斗的号角；它不是为了晋升职称而炮制的论文，也不是为了课题交差而拼凑的“成果”。它是有感而发、不吐不快的大实话。它力图用感性的文字表达理性的思考，用诗意的语言描绘多彩的教育世界。

法国的社会学家皮埃尔·布尔迪厄 (Pierre Bourdiea) 就十分反感一种偏见：人们自然而然认为，严肃或深刻就必然是乏味的，令人生厌的。他与艺术家哈克达成共识：文化活动中最重要的是趣味，人们应当从中得到乐趣。如果作品本身没有趣味，不能使人得到乐趣，人们就会到别处去寻找乐趣。人们阅读的动机是多种多样的，其中一定包括怡情。

其实，早在100多年前，英国批评家哈兹利特就曾指出：“以亲切的风格写作，不是容易的事。许多的人误以为亲切的风格即是通俗的风格，写文章而不矫揉造作即是随随便便地信笔所至。相反的，我所谓的亲切的风格，最需要准确性，也可以说最需要纯洁的表现。不但要排斥一切无意义的铺张，而且也要芟除一切庸俗的术语，松懈的、无关的、信笔拈来的词句。不是首先想到一个字便写下来，而是要选用大家常用的最好的一个字；不是任意地把字组合起来，而是要使用语文中之真正的惯用的语法。”随笔是亲切的，却并不随便。在轻盈、轻巧之中，它透着一种内在的严肃与庄重。

在一些大手笔的学者看来，随笔这东西不过是些小打小闹的玩艺，成不了气候。而我一向固执地认为，能写好小文章的人，一定能写好大文章；能写好大文章的人，却不见得也能写好小文章。这大概就因为，小文章如同小楷，稍有纰漏，就会一览无遗；而大文章如同狂草，只要整体布局得当，有些小毛病，也不大要紧；小文章得讲究遣词造句，讲究起承转合，讲究情趣、理趣和文趣；而大文章不大需要讲究这些。当然，这两者不太好比，毕竟建造大型建筑物要比雕琢盆景更费时、更费力，也更费材料。比较正确的态度就是“各美其美，多元共存”。在学术的百花园中，多一种品种，又有什么不好呢?

试想一下，广大教师对于教育的理论兴趣是如何产生的?在我看来，只有当理论的光芒照亮黑暗的角落，凸现了存在于角落里的事物的基本轮廓，而唤起了教师进一步了解其细节的冲动与渴盼时，理论的兴趣才开始产生。教育存在于我们日常的、细微的、不经意的行为之中。而教育随笔的独特之处就在于能够对那些司空见惯、习以为常的现象以小见大，见微知著，以孔窥豹，洞幽察微。正因为如此，教育随笔才有助于培养和激发教师的理论兴趣。

其实，随笔不仅是一种写作的风格，更是一种生活态度的自然流露。正如诗云：“删繁就简三秋树，领异标新二月花”，“看似寻常最奇崛，成如容易却艰辛”。在大学校园生活过的人当秉有一种精神特质，那就是健康心态的批判性与对有尊严的多样性的崇尚。他们应该是自由思想的创获者，是妖术与谎言的揭密者。

真正经得起历史检验的文字一定是基于“个人经验，民间立场和批判意识”的。批判意识并不意味着只有抨击、否定与蔑视，没有认同、肯定与欣赏。但对于知识分子来说，只有拒绝赞美、歌颂现状，才能不躺在业已取得的成绩上沾沾自喜，才能确认继续前行的理想的路标，才能升华出更高的理想；只有严肃地对社会生活中的各种阴暗与丑恶的现象进行无情的揭露、批判、抨击和否定，才能更好地凸现正义与良知的可贵，也才能对美好的事物、崇高的价值最终有所肯定。

爱的反面不是恨，而是冷漠。批判是基于一种深刻的爱。正如自由知识分子徐复观先生所言，“假定我们没有对国家民族的真挚的爱，便不会写许多文章，惹出许多麻烦。在我看来，真正的自由主义者，也自然而然的是一个爱国者”。

当代西方思想家柏林有言：思想家不是时代进步的动力，也不是时代进步的征兆，他们是时代进步的代言人。我衷心地渴望：任何一个能将日常的经验升华成为具有永恒生命力的光辉灿烂的东西的人，可以自由自在地、尽量完整地表达自我。

这也是人类永恒的渴望。一个不争的事实是：思想在学习和相互交流中生成，在思考中得到提升，在写作中得以梳理。文字的奇迹也可能变为生活的奇迹——我们的认识、阐释、命名和书写能够将人性的尊严以及优美的光辉赋予我们的生活。更何况我们的时代需要思想，我们的教育需要思想。让我们能自由地、充分地交流——以美好的心情和语言，以美好的理想与文体。

壹

与经典为友

YU JING DIAN WEI YOU

1 用思想提升教育的品质

所谓“思想”，维特根斯坦给予了明确的表述：“事实的逻辑形象就是思想”，“思想是有意义的命题”。用我们的日常话语来表达，思想就是我们对于事实的描述、解释和预言，就是我们用以诱导、申述、劝说、暗示等等言辞的集合。

“你真正的生命是你的思想”，这就是一个重要的、十分有价值的命题，当然也是一个关于人生的重要思想。它意味着：如果没有思想，人就只是酒囊饭袋、行尸走肉；就会一事无成、枉度此生；当然就更谈不上个性的魅力和人格的魅力了。

教育需要思想，需要有思想的教育学者，去解释教育的现象、揭示教育的真谛、预见教育的未来；需要有思想的行政领导，去制定教育政策，用思想推动教育的改革；需要有思想的校长，用思想凝聚人心、管理学校，去创生先进的办学模式；需要有思想的教育刊物的编辑，去鉴赏和传播对于教育的真知灼见，去发掘新的表达方式和新的分享方式，如《教育参考》的吴国平、《明日教育论坛》的张文质；更需要有成千上万有思想的教师，他们有自己明确的教育理想和教育追求，如魏书生、刘可钦。

之所以要用思想来提升教育的品质，就因为教育作为一种有着丰富的价值内涵和精神旨趣的活动，其行为是有着明的目标追求的。而目标的确定需要理性的思考，需要对历史、社会、文化与人性的洞察；目标追求中的实际操作，既受制于要达到的目标，又受制于具体的环境。如果囿于操作的层面，行为就是盲目的，其效果就可能是低效的、无效的，甚至是负效的。从活动到行为再到操作，前者引导着后者，后者受制于、服务于前者。

教育作为一种关涉(关照、关注)人的精神世界的活动，因而思想便有了双重的意义：

一是用思想武装我们的行为，用思想去重塑我们的教育行为，“观念改变，行动改变；行动改变，命运改变”。命运的改变，远远不只是个人命运的改变，也将是整个国家和民族命运的改变。

二是用思想陶养学子的心灵。只有用思想才能滋养丰富的心灵和厚重的人格。在教育世界中，倘若有丰富的思想熠熠生辉，倘若有丰富的思想相互碰撞，倘若有高尚、丰富、独到、深刻的思想来鼓舞人心，我们的事业，我们的人生，才更有趣味，更有魅力，我们才真正无愧于上苍给予我们的——不可重复，不可替代，无比珍贵的生命。

从某一价值尺度来看，有正确思想和错误的思想之分，也有深刻的思想和肤浅的思想之别。但不管何种思想，只有有自由表达和相互交流的机会，才有可能得到传播，丰富，深化或者修正。我们所能做的就是创造一个自由言说、自由交流的空间。

我们应该有勇气承认我们自身的局限性，甚至狭隘性。任何人都没有权利把自己打扮成、标榜为“真理”

或“规律”的代言人而对别人的思想加以讨伐。充分的交流和理性的批判,最有可能达成共识,最有可能揭穿谎言和无耻的欺骗。我们必须禁绝任何人把一种解释非法地晋升为惟一正确的解释的企图。

在我们的社会中，我们特别需要培养一种讲理的性格,一种服膺真理、以理服人的性格,一种民主的性格。所谓民主的性格就是乐于分享、善于沟通、服膺真理、勇于承担的性格。

思想的创生,是一种精神的历险,需要胆识,需要勇气,也需要宽松、宽容的氛围。让我们共同去营造,让我们用心去呵护生长思想的土壤,让阳光洒满大地,让美好永驻人间，让我们的心灵沐浴在思想圣洁的光辉中,自由地舞蹈。

2 作为人文学的教育学

教育学是什么？这恐怕是每一个与教育学打交道的人，不论是初学者，还是业内人士，都必须首先要搞清楚的问题。近年来，中国教育学界对教育理论研究中的"唯科学主义"的倾向有了相当的警觉，有的学者还进行了较为系统与有力的批判。学者们认识到，教育理论研究中的"唯科学主义"，其偏狭与危害就在于：它局限了人们的理论视野，窄化了人们的思想空间和问题域；黯淡了教育的理想之光，浅化了教育活动的人文内涵；有着把人"物化"和兽化、把教育活动程式化和模式化的嫌疑。

值得高兴的是，彰显和倡扬作为人文学的教育学，提升作为人文学的教育学在教育学学术领域中的地位，旗帜鲜明地标志研究者的立场与所持有的价值观，凸现对人生意义的眷注，着眼于对社会批判、文化批判意义上的价值澄清等问题的探讨，日渐成为学者们的共识和研究旨趣。

20世纪初，德国著名社会理论家马克斯·韦伯曾经把西方近代思想的发展轨迹概括地总结为"世界的解魅"(disenchantment of the world)。这一概念代表着对不受意识形态限制也不受启示性的或公认的智慧限制的"客观知识"的追求。

几个世纪以来，科学一直是人们驱除蒙昧和野蛮、迈向自由与解放、创造各种人间奇迹的有力武器，因而科学也就成了现代人的骄傲；科学为人类生活提供了极大的便利，但伴随它的应用，它的世界观基础也在世界上广泛传播，成为近代主流意识形态，这就给人类生存带来最严重的危机：由于功利主义对待人类事务采取急功近利、浅薄短视的态度，人类赖以生存的自然生态环境遭到全面破坏，而功利主义标榜的不择手段攫取权利和财富的意识形态，更使人类精神价值全面荒芜。

科学在反抗神学和迷信的霸权、带领人们走出愚昧山谷的过程中，却建立了自身的霸权，即“科学”的霸权。这在一个缺乏深厚的理性精神的民族是极易走向它的反面的，那就是现代迷信和披着“科学”外衣的新的野蛮和愚昧——“科学” 成了 “客观”、“真理”、“有效”、“可信”和“可靠”的代名词。即使那些江湖郎中也会将其“祖传秘方”贴上“科学”的标签，经“科学工艺精制而成”是食品、保健品、药品广告的常用语。

在这个时代，我们只有几乎惟一的一种声音，一种价值尺度，一种评价方式，那就是“效率”。我们的知识界，从社会科学家，到人文学者，口里高喊的都是同一个词——“效率”。我们所有的“知识”和“科学”都在召唤我们进入一个“效率的时代”。似乎人们惟一合法的谈词是效率；人们不愿意谈论人的权利、人的尊严，不愿谈论理想与信念，觉得这些东西太虚。技术时代将一切都定量化了，这样做的目的是为了快捷地判别一种事物的意义，使其高度专业化、职业化，以图对市场份额进行有效的瓜分和占有。人们热衷于“看得见，摸得着，想得通”的事物。当我们片面地为“效率”高唱赞歌的时候，正义和良知就成为我们这个时代的奢侈品。

其实，这里有一个问题就是关于学术研究的客观性。受自然科学，尤其是物理学取得巨大成功的影响，人们把真理性认识等同于纯自然科学意义上的认识，等同于对纯粹的物理实在的客观把握，把认识系统中的客体等同于纯粹的、现实的物理实在，忽视了心理客体、观念客体的实在性，忽视了可能世界意义上的客体与理论实在的对应性。

所以，对于“客观性”这个问题，其实是无法给出确凿的答案的。研究者自以为的“客观”并不可靠。因为研究者的知识背景，期待视野，对历史和现实提问的方式，还有研究思路和理论框架，已经内在地决定了研究不可能“完全客观”。在人文社会科学中，不存在“价值无涉”(value-freedom)的所谓客观事实。正如历史学家卡尔所形象地指出的：“事实的确不像鱼贩子案板上摆着的鱼。事实是像游泳在广阔的、有时是深不可及的海洋里的鱼。历史学家能钓到什么，这一部分靠机会，而主要的靠他到海洋的哪一部分地区去钓，他用的钓具是什么——这两个因素当然是由他要钓哪种鱼而决定的。”行为目标有导向和暗示的作用，而目标的确立依据就是我们的价值观。

就因为受自然科学取得巨大成功的影响，教育学界力图以经典的自然科学为效法的榜样，用“科学”来标志、来框定、来模塑教育学，认定教育研究的价值就在于对教育事实和“规律”进行精确、客观的描述，以教育学能跻身于科学之林为最高目标并为之自豪；于是乎，在教育研究上，以实证、定量、可控、统计、测量等自然科学的研究方法为最佳的研究范式，数据与模型俨然成了衡量学术水准的标尺，学者们以“价值中立”相标榜旨在显示自己学术品格的纯正。

正如鲁洁先生所指出的：“长期以来我们习惯于将人、将教育对象作为一种实体，把一系列已经表现为事实的属性视作为他们的本性而没有将那种‘可能性筹划’(海德格尔)置于我们对他们把握的视野之中，也即看不到作为人的存在‘从不满足周围现实，始终渴望打破他之此时——此地——如此存在的界限，不断追求超越环绕他的现实——其中包括他自己的当下的现实’的那种应然性的向度。”(《实然与应然两重性：教育学的一种人性假设》) 其结果是导致了本该生动、鲜活、充满生机和意蕴丰赡的教育学，本该富有感召力和雄浑浩博的哲学气质的教育学变得琐屑、平庸、贫乏和沉闷。

其实，人们不难发现，作为学术活动的主体，研究者不可能没有自己的立场与趣味。人们标榜的“价值中立”，很可能只是对自家立场缺乏自觉的反省而已；即使是最一般的观察，也会因为观察者的视野远近、见识高下，理性视网的疏密，内心情感的状况，价值判断的倾向，导致观察者从“事实”中得出不同的结论。可见，所谓的“客观性”原来只不过是我们根据“成见”有所选择的结果。这种客观性就当然不可能是纯粹的了。

更何况复杂性和非线性是物质、生命和人类社会进化中的显著特征，我们现在生活于其中的就是一个“复杂”世界。并且，探索和理解复杂性，成为走向未来的主旋律。

美国历史学家费正清就认为，历史的撰写者并不是旁观者，他们本身就是这种活动的一部分。他们在创造本行业神话的同时，也在书写着历史。不只是历史学者如此，所有人文学者都是这样。因为在人文世界里，我们看见什么取决于如何去看，我们征求的答案其实早就包含在问题之中。我们试图要探索、解决的问题本身是只有在我们的理论视域中才能得以凸现和明晰的。我们对教育实际中自变量与因变量之间关系的知觉(感知)是有其理论背景的，正如知觉是具有选择性和理解性的一样。其实，科学史家库恩早就指出：理论始于观察，而观察中渗透着理论。

大概是为了尽显作者“价值中立”的学术立场，在我们的教育学著作和论文中，作者的个性被淹没、被消隐了，读者感受不到作者的灵性与才情，感受不到作者的爱与恨，感受不到作者对自己所持的价值观和立场的自觉意识，感受不到作者对时代脉搏跳动的体认，感受不到留存于字里行间的冲撞力，于是一切的言说都变得可有可无，既没有思想的升华，也没有学术的积累，教育学的贫困与苍白也就在所难免了。

之所以要倡扬作为人文学的教育学，提升作为人文学的教育学在教育学学术领域中的地位，是因为教育所依存、所凭藉、所出没于其中的世界是生活世界，是活的世界，是人的世界，是一个人文的世界，是人实实在在地存在着、经验着的世界，而不是一个“死”的、可以计量的、以实证的方法进行对象化研究的世界。在这个世界中，每个人、每个事物都是完整的，现实的，具体的，不可重复和不可替代的。

也因为人不是机器，人的精神世界具有神秘性和不可言说性。“‘人’既不是一个‘实物’，也不是一个‘概念’”，对人在生活中这种完整性和具体性，“既不能‘证实’也不能‘证明’,而只能‘解释’”(叶秀山)。而“解释”取决于解释者的立场、趣味和他所依持的解释框架,因而它是非常个人化和个性化的。著名课程专家丹尼斯·劳顿(D.Lawdon)曾经提醒教育研究者,人不同于大白菜,人在控制条件下发生的变化,与自然状态下的差异,这比人们想象的多得多,大得多。

人具有的主体性,特别是能动性和超越性,使人成为自由的存在。对此,吉登斯的看法颇有启示:“如果人类行为为不可转移的客观规律所支配,那么我们就几乎不可能通过积极主动的参与而改变自己的历史……它忽略了哈贝马斯所说的人类主体的‘自我反思’或‘反思’。这就是说,它将无法适当说明人类之所以成为人的、不可或缺的基本特征之一。这是因为,我们作为个人以及更大范围内社会的成员,具有反省自身历史的能力,并能通过这种反省来改变未来历史的进程。所有试图以自然科学为模式的哲学与社会科学理论——通常称之为‘实证主义’——都无一例外丧失了这一洞察。”

更因为“科学即使可能为我们提供教育目的和手段所依据的许多事实细节,但它还是不能替我们作出决定。这些判断必须在我们亲自所接受的那种哲学的框架中作出”,“教育问题归根结底是哲学本身的问题”(乔治·F.奈勒)。而哲学问题既不单纯是逻辑实证的问题,也不单纯是语义分析的问题,而首先是历史观、价值观的问题,是社会批判、文化批判所依持、所坚守的理想与信念的问题。

人类有着亘古不变的追求与向往,有着超越国界、种族和历史的核心价值。正义与良知是人类最崇高、最宝贵的精神财富,守护正义和良知才是人文学的使命。人文学的任务应该是唤醒和守护人的尊严，关注并提升人的价值和意义,维护人的权利,表达人的心声。人文学者的任务就是要去关注、批判、纠正一切不公正、不合理、不人性、不人道的思想、制度、规则和习惯,去建立一个公正、合理、阳光明媚的社会。

缘此，作为人文学的教育学必须深切地关注人的现实,关注人的命运与未来,关注儿童的心灵世界,关注教育者的欢乐与痛苦。教育学也必须对破译“人”这个千古之谜贡献自己的智慧，要为理解我们自身及我们生活于其中的世界贡献智慧,必须追求一些貌似“无用”却极其崇高与神圣的思想主题,如教育中的人道主义、教育的民主化。关注人的自由全面发展的教育学,就应该倡扬一种社会的理想、人生的理想、教育的理想,应该始终飘扬着一面大写着“人”字的旗帜。

3 教育学的尊严

中国的教育学可以借用一句话来扼要地描述,“有着久远的过去,却只有着短暂的历史”。众所周知,中国是一个文明古国,教育在中国文化的创生、传播与承继中扮演着重要的角色。先秦思想界对于教育就有着许多精深的思考,在“四书”、“五经”中,对于教育的论述比比皆是;《学记》就更是先秦教育思想的集大成者,它提出的许多命题, 至今仍有着强大的生命力。先秦以降,历代思想家、教育家对增进人们对教育的认识也都贡献多多。然而,同许多学科一样,教育学成为今天意义上的一门学科,却是“西学东渐”的产物。从一个学科的发展历程,大致可以折射出一个社会的变迁,从中感受到文明战胜野蛮的曲折与艰难。

“教育学不是科学”,曾是人们普遍焦虑的问题,成了人们质疑教育学存在合法性的几乎是惟一的理由与根据。尽管今天人们对“唯科学主义”有了相当的警觉,在这一观念上有了很大的改变, 但教育学的学术品质因而关涉到教育学的尊严的问题, 仍是业内人士萦绕于心的主题。

教育学的尊严受到挑战这恐怕是一个国际性的问题。国外同行也认为,“教育学家们往往喜欢将非常表面的事情,都当做理所当然的真理。教育学界没有多少个响当当的名字可以装模作样,难怪总得背着自卑的情结";"'教育学'不是一门学科。今天,即使是把教育视为一门学科的想法,也会使人感到不安和难堪。'教育学'是一种次等学科(subdiscipline),把其他'真正'的学科共冶一炉,所以在其他严谨的学术同侪眼中,根本不屑一顾。在讨论学科问题的真正学术著作当中,你不会找到'教育学'这一项目"。多年以来,普通人(尤其是政客和商人)都可以成为自己的教育专家。对于许多教育问题,教育学专家的意见和普通人的意见难以有所区别,这使得教育学在人们心目中的地位大打折扣。专家的意见总该多少有些学术的底蕴,而学术底蕴就来源于独特的方法论。

最近,笔者也注意到:由中国社会科学出版社首次引进的英文版100种图书中,有哲学、伦理学、宗教学、政治学、经济学、社会学、人类学、心理学、法学、历史学,唯独没有教育学,这多少也能说明教育学的尴尬处境。"尊严来自实力",这句话对于一个民族、一个国家是真理,对于一个学科,以至于我们每一个人来说也都是真理。

教育学要赢得学术尊严,就必须建立自己的学术规范,形成自己独立的学术品格,实现从思想向学术的提升。特别是在中国学术文化的境遇中,由于缺乏经典的近代自然科学的思想洗礼,人们的思想容易停留在"整体直观与经验直觉"的水平,在实用理性的致思取向中,理论似乎总是与"应该怎么做"和"不应该怎么做"的实际操作联系在一起的。其实,理论的描述、解释和预言只是为了扩大和丰富我们的视界,使那些被我们视而不见的问题,那些被视为理所当然的事情,那些天经地义的事情，那些隐而不彰的事物，能够在我们的头脑中、观念中、视野中得以凸现、得以彰显。尽管任何新的理解都会直接或间接改变我们的行为，但不会像“实用理性”所指望的那样一一对应、立竿见影。

当前，要求得教育学的健康发展有待克服以下两个较为普遍存在的问题：

一是从其他学科领域或其他理论来关照教育者，多是其他学科已有成果的铺衬，而真正对教育的理解很少，往往是头重脚轻，虎头蛇尾。这在最初借鉴其他学科来丰富和发展教育学的初期，也许是难以避免的，但如果总是停留在这个水平，教育学仍旧只能是形式上、表面上的繁荣。用一句比较尖刻的话来说，不能将教育学变成其他学科残羹剩饭的垃圾桶，教育学也不能只是拾人牙慧的鼓噪者。

其实，借鉴其他学科和某一理论来审思、检讨教育学，应当像一座冰山，对其他学科的理解和把握是沉潜在水面下的部分，而水面上都是真真切切的对教育学的理解，或者正如人们经常所说的，“吃进去的是草，挤出来的是奶”，我们不能把“草”充当“奶”来呈现给读者，而需要真正的消化和吸收。

二是教育学领域内学科壁垒森严。在教育学这个大的学科群内，分化出、生长出一些分支学科是教育学发展的标志和必由之路。但过强的学科意识，就将导致视野狭窄，导致对教育学支离破碎的，从而是狭窄、肤浅的理解。我们经常地听到，治“教育哲学”者、治“教育原理”者，可以理直气壮地宣称自己不懂“教学(理论)”；而治“教学论”者，亦可心安理得地坦言自己“缺乏教育哲学的修养”。这也许都是自谦之辞，不必认真细究，但对教育缺乏多学科、多角度、整体性地把握的“专家”的确是大有人在的。

教育学要赢得尊严，就必须真切地关注真实的问题。愈来愈多的学者意识到，任何“营造体系”的企图都是一种理智的虚妄，教育学的思想空间必须依托于千百万人最真切的教育实践，必须从最鲜活的、由实践提出的问题出发，进行理论的探索，必须摒弃“营造体系”的癖好而回到真实的教育之境来。由学者之间最朴素、最真诚的对话求得对一些重大主题的澄明、彰显与共识。

4 与经典为友

教育的道理，其实都是些大道理、朴素的道理，都是些家常话。譬如说，要尊重学生，身教重于言教，“成人”应该优先于“成材”，因材施教、长善救失等等。教育的道理，之所以都是些大道理，就因为教育是关涉人心的工作，而“人同此心，心同此理”，自古皆然。

道不远人。而大道理就更不难悟识到。所以，教育的智慧，大多是一些古老的智慧。古老的智慧存在于经典之中。经典往往比时尚更接近真实。因为它经过了岁月的洗淘和一代又一代人社会历史实践的检验。

媚俗的重要表现就是赶时髦。现在，人们动辄就用“根本变革”、“全新的理念”、“截然不同”来描述一种新的教育观念或举措。这多少都有些夸大其词、不切实际，甚至是耸人听闻。的确，社会在变，教育也在发展变化，但总有一些亘古不变的东西。譬如，教育内容总会随着时代的变化有所增减，但历史和文学却是教育两大永恒的支柱，这两大支柱在“诗、书、礼、乐、易、春秋”中就已确立。又如，随着社会的发展，对教师的要求是越来越高了，但孔子提出的“学而不厌，诲人不倦”，恐怕什么时候也不会过时。如果教育中没有爱，没有真诚，任何模式、任何方法大概都很难奏效，不管它多么的新。

笔者强调教育的智慧，大多是一些古老的智慧，用意当然不在于我们立论行文“言必称尧舜”或“言必称希腊”，而在于我们在思考教育问题时，多一点历史意识，少一点理智的虚妄，这样我们对教育的理解当会更细致、更深入。我们的理论界也就可以少一些表面的繁荣，而多一份智慧的薪传。我们的实践界，就可以少一些一哄而起的“培训班”、“研讨班”，而多一些扎扎实实的学习与钻研。因为这些古老的智慧不是急风暴雨般的浇注就能心领神会的，也不是简单的诵记就可以得其真传的，它需要反复的咀嚼、不断的玩味、再三的琢磨，需要“虚心涵泳，切己体察”的功夫，还需要“后觉者必效先觉者之所行”，做到“学、问、思、辨、行”的有机结合，才能从微言中晓其大义。

既然教育的智慧大多是一些古老的智慧，那么，我们所能做的就是“守经答变，返本开新”。所谓“守经答变”，即坚守、守护那些永恒的真理、古老的智慧、不变的“伦常”，并以此对时代的变化所带来的挑战给予回应；如果不能“守经”，“答变”也就缺乏了根基，“守经”是为了“答变”。

既然教育的智慧大多是一些古老的智慧，那么，任何改革都不能急于求成。这些古老的智慧理解起来都并不难，难的是如何转化为千千万万教师的信念和行为。这可不是三天五天，甚至是一年半载，就能奏效的。它需要点点滴滴的浸染，涵养，经年累月的尝试、摸索、积累和深化。

对于我们来说，意识到教育的道理都是些大道理、朴素的道理，教育的智慧大多是一些古老的智慧，使我们的言说和宣称更加审慎，也更加合乎实际，无疑是大有帮助的。

现在人们普遍迷信所谓的"新"——"新理论"、"新概念"、"新方法"、"新模式"、"新技术",于是对于"新"的鼓噪充斥于我们生活的空间。我并不拒斥"新",但问题是,如果穿新鞋,走老路,如果"新"没有旧的根基,缺乏对历史的接续,所谓的"新",恐怕只是障眼的烟云,而非货真价实的创新。这些年,泡沫学术、短命学科、虚假的理论、换汤不换药的改革见得多了,还是觉得"老"的厚实、可靠。

有人总是琢磨着如何打着改革的旗号,挂着创新的招牌,谋求一点话语霸权,进而来谋求自己的利益,尽可能捞取更多的好处,而不是真正的探索真理和服膺真理。这倒是值得我们注意的。

当然,我们也得承认,和历史、文学、哲学等领域相比,教育学学术领域中的经典实在太少。也正因为如此,我们才更应该好好地坐下来,以古典的心情,以从容的气度,打磨经典。这是"与经典为友"的另一层含义。

5 在语言的背后

语言是一个十分复杂的问题。首先,作为一种社会文化现象,它浓缩着一个民族的历史,也凝聚着一个民族的心理结构。所以,有人说,语言是思想的博物馆。语言像空气一样弥漫在我们生活的四周。它塑造着我们的气质、性格、感知方式,甚至思维方式。

作为个体的心理现象,语言也是值得我们高度关注的。海德格尔有言:"语言是存在的家","所有的思都是诗"。前者可以理解为我们的心灵是寄寓、栖居在语言中的;后者可以理解为深刻、独到的思想表达出来总是富于诗意的,并能够打动人心。

一位海外的中国诗人说,每当他看到"碧海、沧桑、江湖"这些汉语独有的词汇时,都会莫名地激动,甚至落泪。我想,这就是对所谓"语言就是祖国"、"乡音里有美丽的故乡"、"文字是生命的酒"等等的最好注释。

我们的思想愈深刻,我们的感受愈丰富,我们的情感愈细腻,我们借以表达思想、感受和情怀的语汇就愈需要丰富。内心的丰富会表现为语言的丰富,我们词汇的丰富和新颖(新锐),也就在一定的意义上意味着我们思想的丰富和新锐。我们可以通过对语言的锤炼来提升我们思想的品质。因为,锤炼语言其实就是锤炼思想。

表达决不仅仅是一个修辞学的问题、一个技巧性的问题，它涉及你在表达中用一套什么样的语言——精确程度、情感色彩和审美趣味。用哲学的话说，你的语言跟你的世界是一致的。因为人们把握世界，无论是描述、解释或者预言，总要命名，总要用词指陈事物，总要有一个气韵、精神贯注其中的词语结构和意义网络。也就是说，思想与表达是一体的。语言的舒展即是思想的流畅，语言的优美源于思想的精致，这就是海德格尔所谓的“所有的思都是诗”；相反，语言的苍白即是思想的苍白。表达的词不达意、语无伦次，只因为思想的贫乏和浮浅，只因为缺乏精深之思，却又要“为赋新词强说愁”。当代国人语言的僵化和虚假，无疑标示着人们思想的僵化和虚假，标示着它与生活的真实的隔绝状态。

我想再一次强调：锤炼语言，也就是锤炼思想；追求表达的独特与精致，也就是追求思想的独特与精致。经验告诉我们：运思的严肃与措词的精当是统一的。而只有概念的明晰和概念系统的逻辑自恰，才能保证运思的严谨。叔本华说过，只有不清晰的思想，才会用晦涩难明的文字来表达。

运用语言的能力，驾驭语言的能力，是一种心灵的力量，而不是简单地鹦鹉学舌可以获得的。所以，人们经常说的“某某文笔好”、“谁谁口才好”，其实都只是一种很表面的说法。因为所谓“文笔”、所谓“口才”，承载着的都不过是思想与才情。维特根斯坦晚年时慨叹：“只有在生命之流中文字才有意义。”无论是维特根斯坦的“文字”还是海德格尔的“语言”，它们首先都是指向它们所涵有的原创性与独立性的。

“以词的灵魂写作”的立陶宛作家米洛兹(1877—1939年)，对每一个词总是充满了无限的虔诚与崇敬，他总是感动于每一个词的生命热量。比如当他写到“爱”这个词的时候,便因为“爱”这个词所包含的神圣、欢乐、温暖、无私、纯洁、完美等等精神元素和象征意义而热泪滚滚。语言从来都不是孤立的存在,每一个词都布满历史的脚印和充盈生命的呼吸(林茶居)。

语言是刻画我们经验的文字蓝图。没有语言来描述我们的经历,我们就不能交流我们所知道的东西。每一种类型的知识都用不同的语言来表征,语言为我们开创了一片特殊的经验世界。相互交谈导致共识。我们通过语言定义我们的经验,语言描述我们的经验是什么。我们不能真正认识没有任何文字描述的对象。知识是我们运用语言建构出来的。在理论上,知识是无限的,因为我们有无限的使用语言和创造新名词的能力。当我们使用的语言发生变化的同时,事物也发生了变化。

语言是人们交流思想的工具，也是教师进行课堂教学的重要工具之一。正如苏霍姆林斯基所指出的：“教师的语言素养在极大程度上决定着学生在课堂上的脑力劳动的效率”,“教师的言语是一种什么也代替不了的影响学生心灵的工具。教育的艺术首先包括说话的艺术,同人心交流的艺术”。在教学实践中常有这种情形:不同老师讲授同样的内容,有的寥寥数语就能使学生心领神会,有的洋洋千言却使学生不得要领。可见,提高教师的语言修养,使教师掌握课堂教学的语言艺术,是提高教学质量的重要环节。

作为社会文化现象的语言和作为个体心理现象的

语言又是联系在一起的。譬如,生长于文化处境不利的儿童大多运用大众化的简单语言。这可能意味着他们容易忽视人、物和环境之间的微妙关系。这类儿童在成长过程中,对自己和他人的感情就不太敏感,不能分辨出语意的细微差别,对于社会情境的知觉能力的发展比较迟缓。

让我们一同来关注语言,关注语言背后所蕴藏的一切……

贰

教育的意蕴

JIAO YU DE YI YUN

6 教育的意蕴

人们谈论的"教育",实际上可区别为这样两个层面:一是作为社会事业、社会过程、社会系统、社会部门的教育;二是作为文化—心理过程的教育。如果说,第一层次的教育还是可以指认的对象的话,那么,第二层次的教育就基本上只是一种价值活动。(当然,这种区分只是相对的:不仅要放在具体的语境中才能较清晰地作出区分,而且两者也不能截然分开。)

所谓"文化—心理过程"意指:1. 文化,作为社会历史遗存,它有先于个体存在、超个体的一面。2. 作为社会历史遗存的文化不是一种静态的凝聚物,而是一个动态的过程,是一个活的有机体。3. 个体现实的心理活动不仅浸淫着文化,而且受着生存于其间的文化的制导,解释学所谓的"前见"就是最好的例证。4. 作为人类世代交替中的个体甚至其心理活动的机能都是人类文化进化的产物,正如马克思所指出的:"五官感觉的形成是以往全部世界历史的产物。"

将关注个体生成与发展的教育用"文化—心理"这一术语来指称就是力图表明教育是社会的价值引导与个体的自主建构相统一的过程。或者说,当我们把"关注个体生成与发展"的教育用"文化—心理过程"来意指时,就已经内在地包含了它的两个基本点,就标志着教育必然是牵涉于社会文化(传统)与个体精神生活、内心世界之间的一种活动。

“教育”一词,在英语中有“抚育、自身生成”的意思,在德语中则有“引导、唤醒”的意味,在古代汉语中是“上施下效”的含义;教育是一种武装人们的方式,它对人负有一种无可逃避的责任,它需使人能够适应生存的时代,而不致将他排除在人生的最终伟大目标之外;它将开启世界的钥匙——独立和仁爱授之于人,赋予他作为一个自由人只身跋涉而步履轻捷的力量(何塞·马蒂)。这都是在作为文化—心理过程的教育这一层面上对“教育”含义的赋予。

教育作为文化—心理过程,所关注的是理想个体的生成与发展,它有这样两个相互制约、相互联结、相互规定、对立统一的基本点,那就是:价值引导和自主建构。

所谓“引导”就意味着:

1. 教育是有方向和目标的。教育的方向和目标是教育活动的核心,一切教育活动,都是直接或者间接地为了达到一定的教育目的而展开的;一切教育目的又都是为解决一定社会历史时期个人的发展与社会发展的矛盾而设定的。教育的方向和目标凝聚着一定社会人们对理想社会和理想人生的追求。

2. 教师对学生的成长负有道义上的责任。学生是具有极大可塑性的个体,他们最需要受教育也最好受教育;教师相对于学生而言是闻道在先,教师在学校里肩负着帮助学生增加他们的自我价值感和追求成功的责任。

3. 受教育者是有自由意志和人格尊严的、具体的、现实的个体,“引导”区别于“宰制”、“驱使”、“奴役”和“愚弄”。尊重学生的自由意志和独立人格不仅是真正教育的条件,而且是教育本身的内在规定性。

而说教育是一种价值引导,即是指教育是投射着、蕴含着教育者的主观意趣的引导活动；这种主观意趣内含着教育者的价值选择和价值预设——诸如：什么是理想的社会？什么是美好的人生？什么是幸福的生活?什么是理想人格?什么生命境界值得追求?什么知识最有价值?等等。

价值引导体现着社会的意志,在阶级社会中,体现着统治阶级的意志,体现着教育的性质,体现着教育者的人生追求和教育意向。

价值引导只有建立在对人类历史发展轨迹深切的了悟上，对人类社会发展趋势的高屋建瓴的洞察上,对“一般的人性”和“变化了的人性”精致细密的体认上,对学生成长的潜能和对他们充满期待的内心世界的关注和激赏上,才能真正引导人生走向光明与真实的境界。

而所谓“自主建构”即指受教育者的精神世界是自主地、能动地生成、建构的,而不是外部力量模塑而成的,因为任何学习都是一个积极主动的建构过程,学习者不是被动地接受外在信息，而是主动地根据先前认知结构注意和有选择性地知觉外在信息，建构当前事物的意义。通过活动和自主建构,个体的创造力、潜能、天赋、审美鉴赏力、个性等得以表征、凝固在活动过程中和活动结果上;另一方面,通过活动,又丰富着、发展着个体的个性潜能、资质和素养。

强调“受教育者的自主建构”旨在突出,教育要关注学生的生活世界并切入学生的经验系统，在教育内容和方法上是基于学生智慧发展水平的；教育要着眼于学生成长的内在动机的唤醒，使学习活动是自觉自愿的；教育要将学生带入精神充实、富于理智挑战的境界。

否认“价值引导”就是否认教育，就是消解教师的作用，就是放弃教师的责任，就是自然主义的教育观、“内发论”的教育观；没有价值引导的自主建构，就不成其为教育过程，就必然缺乏超越性向度和足够的发展性；而不承认矛盾的另一面，即学生的“自主建构”，价值引导就有可能蜕化为强制、外铄、粗暴灌输，就是“外铄论”的教育观，就是把学生当成没有生命的物，而不是有自由意志、有丰富明敏的内心世界、有独特判断需要与能力的活生生的人。

建基于价值引导与自主建构相统一的教育，从学生的成长过程来说，是精神的唤醒、潜能的显发、内心的敞亮、主体性的弘扬与独特性的彰显；从师生共同活动的角度来说，是经验的共享、视界的融合与灵魂的感召。

7 教育即解放

明确提出"教育即解放"的口号是在联合国教科文组织于 1972 年发表的《学会生存》这篇著名的报告之中。它同时提出并确定了一个指导教育发展方向的基本思想:"人类发展的目的在于使人日臻完善;使他的人格丰富多彩,表达方式复杂多样;使他作为一个人,作为一个家庭和社会的成员,作为一个公民和生产者、技术发明者和有创造性的理想家,来承担各种不同的责任。"今天,重温这段文字,仍然是颇有教益的。

《学会生存》提出的"教育即解放"的口号在《教育——财富蕴藏其中》这篇报告之中又有了新的发挥:"教育的基本作用,似乎比任何时候都更在于保证人人享有他们为充分发挥自己的才能和尽可能牢牢掌握自己的命运而需要的思想、判断、感情和想象方面的自由。"

与"解放"相对的是压抑、禁锢、灌输、奴役、摧残、践踏、束缚、钳制……这是两种向度的力量。教育即解放,意味着教育是探索,是启蒙,而不是宣传和灌输;是平等对话和自由交流,而不是指示和命令;是丰富认识,而不是统一思想;是尊重和信任,而不是消极防范。

真正的教育一定坚持价值引导而同时拒斥灌输,拒斥任何未经严格论证的宣称。这除了在教育过程之中始终坚持尊重学生的内在需要和自主建构外,就是要求我们的教育对诸如终极价值、绝对真理之类的东西保持审慎的态度，留下一个开放的价值空间。在教育过程中，向学生提供多种多样的、可供选择的价值系统和信仰体系，并让他们明了这些价值系统和信仰体系在他们生活中的价值与意义，培养他们对多样化的尊重和开放与宽容的心态，培养他们自主判断与自主选择的能力。

灌输的核心是强制和服从而不是创造和自主，是一种无视学生的主体性、无视人的自由与尊严的教育。一个开放的社会，一个尊重多元化的社会，在教育中必然是拒斥灌输的，因为灌输试图封闭人们的思想，将一元化的东西定于一尊。灌输事实上反映着社会本位和教师中心，表现为对独特性和差异性的漠视。任何意义上的灌输都有漠视学生需要和尊严的共同特点。

把人从相互敌视、相互防范中解放出来，从心灵之间永无宁日的战争中解放出来，从狭隘的功利和世俗的羁绊中解放出来，把人从依附、盲从和定势中解放出来，把人从习俗、传统、群体压力以及本能欲望的束缚中解放出来，这就是教育的使命。任何教育无论它处于什么层次，以哪一方面为侧重点，致力于人自由而全面的发展都应是其安身立命之所，都是其根系所在，人的解放、自由、超越、完善都应是其根本性内涵。舍此，教育就不成其为教育。

教育固然不是万能的，但谁又能否认良好的教育不是一种解放的力量?! 每一个教育者都应该站在改造国民性、重塑民魂的高度，审慎地规划我们的教育行为，解放被禁锢的心智，舒展被束缚的个性，使僵化的头脑能够异想天开，使萎缩的人格大放异彩。让人们的笑脸生动起来，让我们的社会丰富起来。

8 教育的力量

关于教育对于一个国家、一个社会的重要性，加尔布雷思在他所著《好社会》一书中说得再好不过了："在当今世界上，没有任何一国受过良好教育的人民是贫穷的，也没有任何一国愚昧无知的人民是不贫穷的。在民智开启的地方，经济发展自然水到渠成。""一个国家的前途，不取决于它的国库之殷实，不取决于它的城堡之坚固，也不取决于它的公共设施之华丽，而在于它的公民的文明素养，即在于人们所受的教育、人们的学识、开明和品格的高下。这才是利害攸关的力量所在。"(马丁·路德)。

有识之士都认识到，教育孩子是我们所有事业中最重要的事业，比任何所谓的防卫措施都更加紧迫和重要，它是我们惟一的真正的防卫。美国的开国元勋杰斐逊(Jefferson)、麦狄逊(Madison)和阿德姆斯(Adams)都认为，一部结构良好的宪法并不能充分地维持美国的民主，一个自由的社会最终要依赖于它的公民以及这些公民所拥有的知识、技能、道德和公民美德。

国际 21 世纪教育委员会在向联合国教科文组织提交的报告中指出："教育是社会的核心"，"教育在社会发展和个人发展中起基础性作用"，"教育是更深刻、更和谐的人的发展并从而减少贫困、愚昧、(不平等的)

排斥、压迫和战争的一种主要手段”。难怪德国工商大会主席布劳恩会敏锐地指出：德国经济未来取得发展的“最重要的资源就是我们的教育，我们的学校”。

有学者深刻地洞见到，教育是国民经济新的增长点。教育是应用知识、传播知识、创新知识并需要大批工作者的服务行业，可以为社会提供占从业人员总量4%的就业机会，对GNP增长的直接贡献也不会少于4%(发达国家可达6%~7%)；同时，还可以带动建筑、仪器设备、办公家具、通讯、交通、报刊出版等一系列行业的发展，因而成为国民经济新的增长点。教育也已成为新的消费热点。随着劳动力市场的价格分化，知识越来越“值钱”，教育成了居民投资的新热点。特别是高质量的中小学教育和高等教育，成了最热门的卖方市场。我想，这不仅仅是专家的结论，在日常生活中，我们也是可以感受得到的。

尽管我们的政府明确提出了“科教兴国”的战略，可是我们的一些行政官员，对于教育仍旧是“说起来重要，干起来次要，忙起来不要”，这只能说明他们眼光短浅，急功近利。当然，这也还有其他更深层次的原因，譬如我们几千年专制主义文化的消极影响和长期以来整个社会在制度建设上的缺陷。

至于教育对于个人的价值，以下这一段话也十分精彩：“假使我们过着多彩多姿的生活，那必定是教育使我们意识到生活的意义；假使我们过着合群的生活，那是教育使我们在早年认识这一需要，且在我们的心田种植了种子；假如我们很安详地生活着，那是教育使我们认识到精神上的和谐是人生最重要的。但假使我们内心不安宁，那是教育中忽略了感情的生长及适应新环境的能力；假如我们对多彩多姿的生活世界感到乏味，那是教育没能在我们的内心开拓理智的以及精神的反应，而这些反应是欣赏万变的生活所必须的；假如我们过着自私的生活，那亦是教育忽略教授合群生活中最基本的要素——即了解别人的需要；假如我们不认为在一个民主的社会中，个人是最珍贵的，而不论其种族、肤色和血统，那么，教育最基本的一点便已失败了。”

在我看来，良好的教育一定致力于引领学生用自己的眼睛去观察，用自己的心灵去感悟，用自己的头脑去判别，用自己的语言去表达。良好的教育使得一个人成为真正的人，成为他自己，成为一个不可替代的、立于天地之间的大写的人。

因此，我敢肯定地说，良好的教育一定能够给无助的心灵带来希望，给稚嫩的双手带来力量，给蒙迷的双眼带来澄明，给孱弱的身躯带来强健，给弯曲的脊梁带来挺拔，给卑琐的人们带来自信。而一个拥有希望、力量和自信的人，最有可能成为幸福生活的创造者和美好社会的建设者。

9 什么是良好的教育

我所能想到的最重要、最有价值的事情，莫过于受到良好的教育。因为只有良好的教育才能使我们秉有渊深的学识、清明的才智、通达的情性、宽广的胸怀和高贵的教养。

理想总是高于且先于现实而存在的。没有对于什么是良好教育的理想，没有某种关于受过教育的人的理想，我们就无法从事教育。教育正是牵涉于理想与现实之间的、具有鲜明的价值指向的潜能的唤醒，浸淫于“文化—心理”之间的精神创生。真正的教育使得一个人易于领导与合作，而难以奴役和盘剥。

那么，什么是良好的教育呢?也许我们很难给予它一个周全的描述，但我们可以肯定地说：如果一个人从来没有感受过人性光辉的沐浴，从来没有走进过一个丰富而美好的精神世界；如果从来没有读到过一本令他(她)激动不已、百读不厌的读物，从来没有苦苦地思索过某一个问题；如果从来没有一个令他(她)乐此不疲、废寝忘食的活动领域，从来没有过一次刻骨铭心的经历和体验；如果从来没有对自然界的多样与和谐产生过深深的敬畏，从来没有对人类创造的灿烂文化发出过由衷的赞叹……那么，他(她)就没有受到过真正的、良好的教育。

对于所有头脑和心地都很正直的人们，大概都不难达成这样的共识：不论是家人之间的纯美的至爱亲情，还是亲朋故交之间诚挚的友谊，也不论是师生之间的倾情给予，还是陌生人之间默默无言的相互关爱，都能给我们的心灵以温暖的慰藉，给平淡的日子以清新明丽的感动。在教育中，如果我们能用心去营造一种充满真情与关爱的氛围，良好的教育就有了最切实的保障。

而“凡是教师缺乏爱的地方，无论品格还是智慧，都不能充分地或自由地发展”。没有任何真正的教育是可以建立在轻蔑与敌视之上的，也没有任何一种真正的教育可以依靠惩罚与制裁来实现。真正的教育只能建立在尊重与信任的基础上，建立在宽容与乐观的期待上。真正的教育存在于人与人心灵距离最短的时刻，存在于无言的感动之中。让年轻一代在人性的光辉里，拥有一个关怀的人生，这应是良好教育努力达成的一个目的。

书籍是人类文明不灭的火种，人类走向光明与真实境界的灯烛。“没有一艘船像一本书/也没有一匹骏马/能像一页跳跃的诗行/把人带向远方。”(狄金森)正如苏霍姆林斯基所告诫我们的：“启发智慧和鼓舞人心的书往往决定一个人的前途。学校首先是书籍。”在书籍中，智慧老人展示给我们的是历史的镜鉴、生命的律则和文明战胜野蛮的曲折。人是理性的动物。“未经审察的人生是没有价值的”(苏格拉底)，你真正的生命是你的思想。对某一问题不倦的探究，是个体成长所必经的心路历程，也只有在理性的基础上才能确立自主的尊严。

如果成长中的青少年没有对某一项活动较为持久的投入和倾注，如果对一切都只是浅表性的接触，那么，心灵的疆域就不能得以拓展，也不能生发出良好的责任意识和责任能力。中国古训中有所谓“纸上得来终觉浅，绝知此事要躬行”，“纸上得来终觉浅，心中悟出始知深”，前者强调的是活动、实践、躬行对于知识的领会与掌握的意义；后者强调的是“悟”，即个体经验的激活在理解、吸收、建构和掌握知识过程中的意义。没有比较丰富、深刻的体验来积淀形成一定的经验背景，悟就不易甚至不能产生。因为理解活动并非某种纯粹的智力活动，而是人的整个生存活动的一部分。

大自然的奇妙景观，不仅给人们以美的陶冶，也给予人们以智慧的启迪。“千江有水千江月，万里无云万里天。”即使是普普通通的一片树叶，平平淡淡的一方晴空，一场罕见的瑞雪，一次壮观的海潮，都能给予我们以绵密的哲学理趣、迷人的艺术灵光。让孩子们领略到大自然的无限风光，领略到自然界的多样与和谐，并由此产生惊异感，从而增进人与自然之间的亲和与交融，这是完美教育的不可或缺的要素。

教育是文化传递与文化传播的过程。文化是人类本质力量的确证与表征。在宇宙学的参考日历上，人类出现至今的这段时间还不到一天的1/1440。然而，就在这段似乎微不足道的时间内，人类创造了繁荣、灿烂、富丽的物质文化，纵横交织、井然有序的制度文化，千姿百态、深邃精湛、幽邈纤细、意蕴丰赡的精神文化。作为人类的一员，是值得我们每一个人为之自豪的。这种自豪感是参与分享人类所创造的精神财富和进行新的探索的强大动力。

真正幸福的人，是过着值得尊敬和真正的人的生活的人，是精神上和物质上都很富有的人,“富有的人同时就是需要有完整的人的生命表现的人”(马克思)。学会过美好的生活，使每一个学生都能成为能够创造幸福生活的人,这是完美教育的鹄的。因为,个人的自由,群体的和谐,社会的公正,人类的福祉与尊严,全系于良好的教育。

10 教育与启蒙

“启蒙”是个有着多种含义的词，狭义的启蒙通常是指从17世纪洛克开始，在18世纪康德、黑格尔达到顶峰的“启蒙运动”。而近代启蒙运动的核心则是弘扬理性、提倡科学、反对迷信与蒙昧、强调“人”的崇高地位。在这一时期，一批知识界精英表现出对理性力量的最大信任，力图对欧洲的制度和信仰作出理性的分析。伊曼努尔·康德(1724—1804年)称启蒙运动为“让光明照亮人类思想的黑暗角落”、驱除无知和迷信的运动。在这里，康德道出了启蒙运动的一个核心方面，即强调个人应该独立地进行理性思维，而不依附于任何学派、教会和学院权威。

启蒙哲学家们表达了对科学和理性的信仰，他们拥护人道主义，为宗教自由、思想自由和人身自由而斗争。他们强调个人的潜在价值，坚信个人能够通过理性之光完善自身和社会。启蒙哲学家将这些价值观念同非宗教倾向和对人类进步的信仰结合起来，为现代观念的形成奠定了基础。可以肯定地说，“启蒙运动是任何一个摆脱封建生活方式的国家在其文化发展中所必经的一个阶段”。

从最广博的意义上讲，启蒙的历程即是人从动物界不断提升的过程，是文明战胜野蛮的思想历程。因此，“启蒙”是一个随着“历史的视界”的拓展而需要不断解读的主题。所以，在后现代思想家看来，自近代以来，人失却单一的原始含义，不再是人类知识提出的最古老的问题，人分裂为语言、经济、生物的存在，成为科学知识的对象，成为理性的奴隶和近代文明的异化物。譬如法国思想家福柯一生所作的努力实际上是在向西方理性与科学的不可一世的统治宣战。

如果说，在近代，启蒙是社会精英分子对广大民众的教化，而在今天，启蒙就有了自我唤醒、凸现个人独特性的新的内涵。启蒙的意义就在于重新审视和反思那些被压抑、被隐没的问题，去除权威话语和谎言对于人的蒙蔽和欺骗。不断地去蔽，不断地求得内心的敞亮与澄明，这正是从个人的意义上说的启蒙之含义。

启蒙所照亮的教育当是对各种形式的霸权的消解——对理性霸权、科学霸权、知识霸权、话语霸权的消解。知识不再是对个体经验的强暴性的压抑的力量，而成为一种解放人的力量。

当教育不再是简单地传授知识，而是批判性地审视我们与真理的关系、叩问我们现实存在的境况，并审慎地规划我们行动的方向时，教育便获得了启蒙的意义，并真正有助于具有完整人性的人的生成。

当我们的教育中不再有占统治地位的哲学，我们的教育不再为流行的时尚所污染，不再有强求一律的评价标准，教育具有自己独特的品格和不断更新的内源性动力时，教育与启蒙才有可能真正联手去创造理想的人生与理想的社会。

叁

教育给了我们什么

JIAO YU GEI LE WO MEN SHEN ME

11 教育给了我们什么

什么是教育？西方有位才子作了意味深长的诠释：“把所学的东西都忘了，剩下的就是教育。”

剩下的是什么呢？我想不外是积淀于我们的气质、性格、处世方式与行为习惯中的那些东西：主动还是被动？独立还是依赖？快乐还是忧郁？开朗还是内敛？开拓进取、锐意创新还是墨守成规、因循守旧？兴趣广泛还是麻木不仁？积极乐观还是消极厌世？精神充实还是内心空虚？在一定意义上说，这些都不是我们可以主动选择的，而是生活与教育赋予我们的。在以往的不知不觉的生活境遇中我们成为了今天这个样子。

在大学的课堂上，我曾以“教育给了我们什么”为题，要求同学们反思总结自己对于基础教育的体认。给我印象深刻的有两位同学的发言：一位同学说，当她拿到大学录取通知书时，她猛然觉得12年的寒窗苦读换来的除了一张通知书，似乎什么都没有——没有朋友，没有刻骨铭心的体验，没有美好的回忆，没有对于生活的热情，没有稳定而深刻的兴趣与爱好。另一位同学寒假回到中学时的母校，看到学弟学妹们仍在紧张备考，她非但没有荣归故里的自豪，反倒有种莫名的恐惧。

大家都不难认识到,制约基础教育改革的瓶颈在考试评价制度,特别是高考制度。应该说,分数面前人人平等的高校招生制度,相对来说是最为公平的。可是,我们为了公平所付出的代价也是非常巨大的,那就是牺牲了整整一代人的自由和谐的发展。为了在高考中尽可能地得高分,不得不压抑自己的兴趣和爱好,花成倍的时间和精力去钻研自己不喜欢、不擅长的学科。结果是"全面的丰收",导致全面的平庸。更有甚者,学习成了苦不堪言的差事;大考小考的排队分等,使学校成为造就失败者的场所,进而导致厌学和恐学,导致内心的畸变和人格的扭曲。

设计出有助于学生自由和谐发展的高校招生制度是并不难的。其实,发达国家就有非常成熟的制度可资借鉴。譬如美国的一些高校,在新生录取时,纸笔相加的考试只占28%,72%是要参考平时的表现,包括研究性学习的成果、社区服务等等。如果我们也这样,那情况就不难想象。余文森教授在一次学术演讲时说到一个令人只能苦笑的例子:某高校一位经推荐进入大学的学生有小偷小摸的毛病,可校方在其中学的推荐信中发现写有"该生手脚勤快"的评语。在一个信用机制尚未建立起来的社会,许多事情都不好办,社会不得不为此耗费高昂的成本。

教育给了我们什么?我相信不同的人会有不同的回答。如果把一个社会中的群体视为由两个极端(如主动与被动、开朗与内敛等等)构成的连续体,我想,我们的国民性格的高峰分布恐怕是集中于被动、内敛、依赖、忧郁等这一极的。这是一个文化问题，一个国民性的问题，当然也是一个教育问题。总之，这是一个值得我们警觉和深入反思的问题。

从《儿童权利公约》说起

1989年11月20日，《儿童权利公约》由联合国大会通过。其中有这样一项内容："确保有主见能力的儿童有权对影响到其本人的一切事项发表自己的意见。对儿童的意见应按照其年龄和成熟程度给以适当的看待。"

联合国儿童权利委员会副主席汉姆柏格先生对体现《儿童权利公约》基本精神的四个原则做了说明：(1)儿童最佳利益原则。任何事情凡是涉及到儿童，必须以儿童利益为重。(2)尊重儿童尊严的原则。这条原则与儿童的发展和生存权利有关，但其意义不仅仅局限于儿童"不被杀"，它指向于儿童生存与发展的质量问题。(3)尊重儿童的观点和意见的原则。任何事情如果涉及到儿童本人，必须认真听取儿童自己的观点和意见。(4)无歧视原则。不管儿童的社会背景如何，儿童的出身、贫富状况怎样，不论男孩还是女孩、正常儿童还是残疾儿童，都应当得到平等对待，而不应当受到任何歧视或忽视。

而在我们的现实生活中，我们习惯于以成年人的是非标准衡量一切，以成年人心目中的理想的模式为孩子设计未来。这不仅剥夺了孩子自主解决问题、自主选择发展道路的权利，而且也极易养成孩子被动与依赖的性格,而不利于独立地、自信地面对世界。

我们有一句口头禅:“好孩子一定要听大人的话。”言下之意就是不听大人的话的孩子不是好孩子。有人把我们的教育称为“听话的教育”,联系一下我们的现实,这种说法不是没有根据的。别的不敢说,可以肯定的是,“听话的教育”肯定不利于富于个性的人和富于创新精神与创新能力的人的培养。

我们的家长,包括相当多的老师都是真心实意爱孩子的。但完整的爱、健康的爱,理当包括这样五个要素:了解、尊重、关怀、给予、责任。这五者是一个整体。倘若缺乏了解,爱就是盲目的;倘若缺乏足够的尊重,爱就会变为支配与控制;倘若缺乏关怀和给予,爱就是空洞和苍白的;倘若缺乏责任,爱就是轻薄的。这在任何的人与人的关系中,都是如此。

在学校教育中,我们非常严重的不足就是,我们的教师很少从学生的需要、兴趣组织学习内容,很少关注学生在学习过程中的感受,很少关注每一个学生的现实处境。对待学生的态度,在很大程度上,能够折射出教师的人格修养,正如一个社会怎样对待处境最为不利的群体,能够反映出一个社会的文明程度一样。

我们教师往往一味从自己的心思和愿望出发:我觉得重要,作为学生,你也就一定应该认识到它的重要性;既然我很用心地讲了,你就该很好地领会。这是我们老师非常普遍的心理。这种心理表面上看是成人中心,而成人中心,说到底也就是自我中心、个人中心,是一种专制性格,而不是民主的性格。其实,这又涉及到国民性的问题。所以,教育问题归根到底是社会的问题和文化的问题。

专制性格也会表现为对人的不尊重，对于独特性和多样性的漠视，而缺乏设身处地为别人着想的意识和能力。所以，专制的性格还表现为心胸的偏狭和眼光的短浅。因此，在我们今天的文化境遇中，倡导宽容，珍视多元文化，推崇国际视野，鼓励超越地域、民族与意识形态等等的局限性，都有着现实而紧迫的意义。

过高的要求，也许不切实际。在对待孩子的问题上，要求我们的家长和教师，努力做到“对儿童的意见按照其年龄和成熟程度给以适当的看待”，这个要求应该是不过分的。

13 正视“超强社会化”

当人生正值童年和少年时，应该展示出生命的灿烂、跃动、纯真与生机勃勃，然而，我们从孩子身上看到了过多的沉重、愁苦或老于世故。他们过早地学会了“三思而后行”，学会了“王顾左右而言他”，学会了察言观色、见风使舵；即使是幼儿园的孩子，无论在日常生活中，还是在银幕、荧屏和舞台上，也很难让人感到出自本色的活泼与纯真，一言一行，一颦一笑，都不过是大人的做作和矫情在孩子身上的缩影，让人感受不到他们“初生牛犊不怕虎”的冲撞力，感受不到童言无忌的单纯与可爱。这都是“超强社会化”使然。

在我们每个人的成长历程中，对于合理的社会规范、习俗和纪律的认同和遵从无疑是十分必要的，学校因而成为人社会化的重要场所。但任何事物都有一个度，超过了这个度，事情就完全可能走向反面。

我们的教育过早、过多地给予孩子们社会的规范、纪律的约束和强求一律的认同。“你为什么总和别人不一样”？稍有棱角的孩子，大概都受到过这种责难。一味地从成人的需要出发，“不该问”的不能问，“不该知道”的不能知道，“不该做”的不能做。当孩子们面对一个问题时，他最先考虑的不是自己内心真实的想法，而是按照成人世界的标准来回答。一个从小就不会用自己的头脑去判别，不会用自己的语言去表达的人，我们的确是很难指望他去开拓、去创新的。

“超强社会化”用弗洛伊德的“人格三元结构理论”来解释，即过于强大的“超我”对于“本我”的过度压抑，使得“自我”变得怯懦与委琐。

概括地说，“超强社会化”的消极后果有二：一是消解独特性，压抑创造性，进而泯灭个性，使人变得平庸、卑琐、谨小慎微和盲目从众，缺乏冒险、开拓、创新的意识和能力，缺乏承担责任的能力；二是造成人格的分裂：“超强社会化”使人具有过强的“社会适应力”，这种“适应力”是以掩饰真实的自我为条件和代价的，其结果是造成“见人说人话，见鬼说鬼话”，言不由衷、表里不一。

多数人都倾向于认同这样的“社会偏见”：小时候，不顽皮、不淘气的孩子长大后不大有出息。其实，历史与现实早就向我们昭示：那些从小就是“乖孩子”的学生长大成人后大多业绩平平、庸碌一生，甚至只会惟命是从、仰人鼻息，成为“隐入群众之中寻求庇护的人”，他们只能成为专制社会的基础，而不能成为民主社会的建设者。

孩子们顽劣成性、桀骜不驯固不足取，但我们培养出来的学生，无论像作家刘心武在其成名作《班主任》中刻画的“谢慧敏”式的，还是遇事(哪怕是辱没个人尊严的事)只会逆来顺受、忍气吞声，甚至奴颜婢色、苟且偷生，都是我们教育的悲哀。不知道“少年老成”与“未老先衰”是否有某种必然联系，但有一点似乎可以肯定：性格的早熟，必然无益于个性的厚重和人格的强健，正如生长期短的水稻其米质必定不佳一样。

在我们的教育中,形成"超强社会化"的原因恐怕就在于我们成人世界中文化专制主义的恶性蔓延。"文化专制主义"的实质就是对人的独特性、自主性与理智判断力的蔑视,对于人的极端的不尊重和不信任。过度的防范、个性的贬抑、思想的禁锢、强制纪律、无情责罚、粗暴灌输、苛严的规训等等都是文化专制主义在教育中的表现,也是"超强社会化"借以实现的形式。据报载, 某位教育家极为尖刻地疾呼:"教育不把人训练成废物就绝不收场! "问题是,无论从动机,还是从效果来说,"把人训练成废物"那还是教育吗?!

如何使我们的国民既秉有良好的教养——内心纯正、举止文明、注重细节,又葆有生命的灵动与自由的天性——不畏首畏尾、患得患失,也不过多地讲究城府,深藏不露,这恐怕是值得我们教育工作者认真思考的。

对 "未成年人权益的保护" 是否也应该包括防范"超强社会化"对他们的侵害,使他们有足够的舒展生命、自主发展的空间?过多的限制与防范,这也"不该",那也"不能",等于剥夺了孩子们独立思考、自主行事的权利,等于剥夺了他们从失败中、挫折中、错误中获取知识和智慧的机会。只有充分地给予他们思想和行动上的自由, 并不因为他们不成熟或可能会出现错误而大加打压与责罚,他们才有可能成为个性丰富、人格强健、才智清明、情性通达的社会一分子。

一个成熟的民族必然会对人与人之间的差异和社会的多样化怀抱宽容以至赞许的态度。因为我们相信,对文化的多元化、文明的多样性进行持久的表达和不遗余力的维护,对于人类具有毋庸置疑的意义。正视、警惕和消解“超强社会化”对于我们营造美好的人生和美好的社会,也许是非常必要的。

14 由《聪明的麻烦》想到的

《聪明的麻烦》是2000年1月16日中央电视台的《实话实说》播出的节目。这个节目讲的是两位早慧的青年学子的成长经历：一个很早进了中国科技大学少年班，后因缺乏对于所学专业的兴趣，改行做了别的；一个也是很早进了一所名牌大学，学习期间由于缺乏自控能力，沉迷于游戏机而导致学业荒废，以至于被学校勒令退学。

为了国家和民族的振兴，人们一直期盼着早出人才，多出人才，出好人才。这种愿望无疑是十分美好的，但如何使这一美好的愿望变成现实呢?按照某种模式，寻求某种捷径，揠苗助长，急于求成，实践证明是徒劳的；而使每一个人都能得到充分的尊重，有足够的价值实现的空间，创造一个和谐发展的氛围，恐怕是一个重要的条件。

究其原因，就在于"人才"这个概念，其本身就是值得我们认真反省的。因为所谓"人才"是从社会需要的角度来对人的要求，是从人的"有用性"来定义的；它至少在视域上有这样一个盲点，那就是，无视每一个人都是独特的、值得无比珍视的，都是构成社会生态的不可或缺的一个"要件"和"环节"(这些词都有将人"物化"的嫌疑，但实在找不到合适的词)。个人的自由、全面、和谐的发展,才是良好教育应该追求的目标。“天生我材必有用”,让每一个人成为他自己,而不仅仅是所谓的“人才”,倡扬的就是教育的内在价值,而不是其工具性价值。

作为这次节目的特邀嘉宾的陈小姐提及了一个很有意思的现象:受到过多表扬的学生,会有一种“表扬依赖症”,会渐渐在表扬声中丧失自主的意识和能力,被表扬牵着鼻子走。每一个人都生活在有形和无形的控制中,对于表扬的依赖,实质上是生活在他人无形的控制中。

这大概就是人们常说的不仅有“棒杀”,而且也有“捧杀”:当一个人在成长的历程中,受到了过多的关注(这里所说的过多是与其周遭的孩子所受到的关注相比较而言的),不仅容易导致自我中心、自我膨胀、自我封闭和浅薄的优越性,而且也不利于培养具有“自由意志、独立人格”的个体,那些有“表扬依赖症”倾向的孩子甚至很容易成为某种强权意志“诱降”和“招安”的牺牲品,成为“谢惠敏”式的人物。由此看来,中小学中各种各样的、窄化价值评价标准的评优,如果从长远考虑,不论是对整个社会,还是个人,很可能弊大于利。

如何让学生对于所学的学科或专业获得深层次的、积极的情感体验,恐怕是十分重要的。一些即使在中学奥林匹克竞赛中获奖的学生,由于重复训练和缺乏学习过程中愉快的情感体验,最终放弃了对于“优势学科”的继续深造的计划,这正应和了“10 岁的神童,20 岁的秀才,30 岁的庸人,40 岁的白痴”的古语。这是很值得我们深思的。

要成为某一领域的杰出人物,天赋无疑是十分重要的，这其实就涉及到教育学中经常讨论的“遗传、环境与教育”三者之间的关系。说得极端一点，杰出人才不是培养出来的，而是天造地设的，正如灌木，你给予它再好的生态条件——阳光、水分和养料，它也只能是灌木，而不可能长成参天大树，充其量不过长得茂盛、葱郁一点；而乔木，倘若缺乏良好的生态条件当然也很难、甚至不可能成为参天大树。但不同的人其天赋显露有早晚之别，也并非显露得愈早愈好。

任何一个领域杰出人物的成长都自有其规律。如果说，在政治领域、经济领域曾有过、现在也在批量地生产着“暴发户”，但在学术领域，尤其是在人文社会领域不太可能出现“暴发户”，因为它需要相当的积累，特别是个体经验的积淀。较之于“少年得志”，我更欣赏“大器晚成”，因为“少年得志”者大多有那么一点轻薄和张狂，一点人格上的苍白；而大器晚成者，那种历尽沧桑的凝重和深厚，那种厚积薄发的从容与放达，更有一种摄人心魄、令人景仰的个性魅力和人格魅力。

人的成长与发展是一个十分复杂的过程，尽管千百年来，人类第一流的头脑均在不断地探索“什么是良好的教育”这一主题，但仍有许许多多的理论盲区。尽管我们无法设计出普遍有效的人的培养模式，但有一点似乎可以肯定，尊重儿童的需要，崇尚自然，创设宽松自由的成长氛围，却是普遍有效的法则。

15 军营、监狱、医院与学校

军营、监狱、医院与学校是现时代人们活动的四个重要的场所和四种重要的社会机构，它们各自有着自己独特的职能、行为规范和文化氛围。通过对它们的比较研究，也许有助于我们对学校的使命与特征有更为丰富与深入的认识，从而有助于人道主义的旗帜在校园猎猎飘扬。

军营的主体是士兵，军人以服从为天职，铁的纪律是军营的生命线。士兵不仅需要忠诚、勇武的品质，还需要练就出过硬的本领。因此，在军营，严明的纪律、绝对的服从和艰苦的训练，铸造着国家的“钢铁长城”。“军令如山倒”、“养兵千日，用兵一时”，诸如此类的说法，表征着军营所肩负的特殊使命。

监狱是监禁犯人的处所，是为犯人而存在的。它以剥夺那些在法律上认为有罪之人的自由并加以强制改造，以救赎他们的罪责，进而唤醒他们泯灭的良知。他们是一些偏离了正常的生活轨道的“上帝的弃儿”。剥夺、强制、惩罚与制裁，是监狱的特征，其目的就在于通过对监犯、囚徒洗心革面的改造，让他们重新回到社会并成为一个有益于社会的人。

医院是治疗和护理病人的机构，它服务于生理上或心理上有疾病的人们。无论是药物疗法、食物疗法、心理疗法、运动疗法，还是采用手术或针灸，都是以对疾病的治疗为目的的。医院还有健康检查和疾病预防等工作，这多少有些与学校的某些职能相近，如学校的卫生工作、体育和健康教育。

学校作为一种社会组织、一种社会机构，它服务于三大目的：对学生的监护、提高学生的知识与技能水平和发展学生的个性(诸如兴趣、态度、价值以及其他那些称之为情感性学习的行为等)。学校的所有社会职能都必须通过培养社会所需要的人来实现。

学校一直是、现在仍然是最重要的教育场所。作为一个古老的象形字，“教”原是“子”的边上站着一个手执教鞭的人的形象。而“校”的原意为两块木头的相交，它的本意是代表某种枷类刑具。不难发现，“学校”二字的原始内涵，有着浓厚的专制主义的味道。

教育是人道主义事业的重要组成部分，它通过对人的成长提供服务和帮助，以使作为个体的人获得更为充分自由的发展，并进而有助于增进人类的福祉与尊严。即使是为生理残障者提供特殊教育的特殊学校，如聋校、盲校，也主要不是针对生理缺陷的救治，而是提供特殊的辅导和训练，以期获得补偿性的发展，以便那些有残障的儿童获得生存、享受和发展的能力，成为能够自立和自强的个体。而对于那些在行为上偏离了正轨的学生，虽然需要一定的责罚，但责罚只是作为手段而存在，与监狱中对于罪犯的惩罚是有质的区别的。

然而，现实生活中，机构的职能错位却时有发生。正如监狱可能成为一所学校一样，学校也完全可能成为一所监狱。据某城市市民报披露，该省师范大学附属小学有教师用不干胶封“不听话”的学生的嘴。刚从学校受过专业训练出来的年轻教师也认为这办法不错，马上学了过来，这令人不得不联想到中国古代一种酷刑。用类似的办法对学生实行“管、卡、压”的做法时有所闻。这不能不说是我们教育的悲哀!

爱因斯坦曾说过这样一段话:“我认为，学校凭借恐吓、压力和权威来管理学生是一件最坏的事,它破坏了学生深挚的感情和真诚、自信,它养成学生驯服的性格。”F.A.哈耶克也曾痛斥“强制是一种恶”,他说:“强制之所以是一种恶，是因为它否定个人选择与实现自己目标的能力与权利,将其降低为别人的工具。”倘若一个社会处于一部分人受另一部分人因专断意志而产生的强制状态,那么,它离真正的科学意义上的“文明”(法制是其中的一项要义)尚有一定的距离。

由此可见,向强制宣战,乃是营造一个自由、宽松、有序的生态环境的需要,也是强化法制意识、日臻文明境界的需要。对一个社会来说是如此,对于一个社会中的学校来说就更是如此。我们之所以强调课堂中不仅有认知,也有交往和审美,就因为学校不是马戏团,孩子们需要的是老师,而不是驯兽师。

美国心埋学家J.D.斯托奇在《前瞻与现实的心理虚幻》一书中说:“不要幻想所有的孩子都是你眼中温顺的羔羊,很难想象一条大河中只有中规中矩的舒缓,没有湍急和咆哮会是什么样,逾越规纪、桀骜不驯是充满亲和力的表现。”

要使学校变得有吸引力,成为人们舒展心灵、放飞想象的处所,就必须努力营造宽松与高洁、明丽与清新的校园文化氛围,禁绝强制的纪律和苛严的规训,因为人的发展需要足够自主的空间,而宽容、宽松、宽厚更宜于个性自由全面地发展；也因为每个人本身都是独特的存在，而不是“半成品”，更不是“残次品”。人人都企望被欣赏，而不愿意被雕塑、被拿捏、被打压。

所以，不要把教育变成一把雕刻刀，按照某种意志把人塑造成为“标准件”和“工艺品”。即使这种意志并无恶意，但由于缺乏对于人，特别是对于儿童的高度尊重，这种意志就会以过于强硬的姿态出现，以至于成为一种支配与控制的力量；那就更不用说那些以“虚幻的共同体”的名义而包藏着个人或个人所归属的小团体的私利的某种意志了。

肆

审视教育目标

SHEN SHI JIAO YU MU BIAO

16 审视教育目标

我们究竟需要培养什么样的人呢？我们有这样那样的提法，如“德、智、体全面发展、有社会主义觉悟、有文化的劳动者”、“四有新人”(有理想、有道德、有文化、有纪律)，“德、智、体、美等全面发展的社会主义事业建设者和接班人”，等等。尽管这些提法都有其特定的历史内涵，也都有其确当性，但毋庸讳言，我们对于教育中这个最为核心和最为根本的问题缺乏严肃、认真、深入、细致的研究。正如联合国教科文组织国际教育发展委员会在《学会生存》这份著名报告中所指出的：“如果教育要继续成为一个生机勃勃的有机体，能够运用智慧和精力去满足个人的和社会发展的需要，那么它就必须克服自满和墨守成规的缺点。教育必须经常检查它的目标、内容和方法。”(联合国教科文组织国际教育发展委员会编著：《学会生存》，上海译文出版社，1979年，第120页)

我们需要不断地、严肃认真地审视我们的教育目标。或许，我们可以通过“现时代人的什么素质最重要”这一角度来切入。当今时代，是一个多元化的时代，应该说，“人的什么素质最重要”这样一个问题，只能是仁者见仁、智者见智的问题。如果一定要说什么素质最为重要，那我只能说这样的素质：批判性的思考力、创新的能力、开拓新生活的能力、选择与合作的能力。

现代社会所需要的是富有教养、有独立性、有自信心、自由自律、敢于冒险、具有创造力、足智多谋、能够积极主动地参与决策和讲求效率的人。现在有这样一种提法:思想政治素质是最重要的素质。如果这是对于作为先进分子的共产党员的要求,我想那是完全可以理解的,但如果是作为对全体国民的要求,我觉得就大可商榷了。

一是在民主社会、法制社会中,无论是思想(世界观、人生观、价值观)问题,还是政治态度、政治理想的问题,都只能是一个自主判断和自主选择的问题;二是思想政治素质的高低究竟由谁来评判呢?这会不会又有可能给那些“打着红旗反红旗”的人们提供某种口实?三是“思想政治素质是最重要的素质”总容易使人联想起“政治挂帅”、“宁要社会主义的草,不要资本主义的苗”之类的极“左”言论。

目前青少年的成长中,品德问题的确是不可忽视的问题,但是品德问题要与思想问题、政治问题区别开来,尽管二者有着种种关联;况且,品德问题也还不是我们面临的最大问题。最大的问题恐怕还是创新精神和创新能力不够理想的问题。如果我们过多地强调“思想政治素质是最重要的素质”,过多地强调“思想品德”教育,就可能产生误导,就可能导致在思想认识上和实际行动上对于创新精神与创新能力的培养造成不必要的顾虑和束缚;况且,社会文化是一个精神生态,一个人的发展也是整体性的,如果我们窄化某些标准,就不利于我们营造宽松、和谐、自由发展的人的成长的社会文化和心理氛围。

笔者认为，现代社会——一个多元、平等的社会，一个推行民主与法制的社会，一个社会变迁和社会流动日益加速的社会，一个需要竞争与合作的社会，一个其活力与综合国力取决于全民创新能力的社会，需要培养的是具有理性精神、具有广博深厚的基础文明的教养、具有某一领域的专门知识和技能、具有有效地表达自我的能力、具有自我延伸的能力、具有自由与责任的意识和能力。概括地说，就是有灵魂、有头脑、有专长，能够创造幸福生活和服务社群的人。

17 关注师生的校园生活质量

校园是我们现代人熟知的生活场景。校园生活是我们每一个人青少年时期最重要的生活内容，对每一个教师而言,校园生活则伴随着他们的职业生涯。

师生校园生活质量主要可以从如下三个维度来衡量:身心愉悦的程度、内心充实的程度和成就感。身心愉悦意味着心灵的舒展,没有疲惫感,也没有压抑感,以及身体上的放松和舒适；内心充实意味着有丰富的精神生活,没有空虚感和无聊感,有日渐明确的生活目标,对自我和生活于其中的世界有了更为丰富、系统和深刻的认识;成就感意味着能够体验到成功的喜悦,感受到成长的快慰,强化了积极的自我评价。

学生校园生活的核心内容是他们的精神生活,因而影响学生校园生活的质量的因素主要有:师生关系、课业负担、成就感、自由度、受到关注与重视的程度、教育性活动的吸引力、近景和远景生活目标的清晰度与感召力。

在当下许多学校普遍存在学生校园生活机械、单调、平庸和乏味,甚至充满压抑和恐惧,个性和独特性受到忽视，甚至不应有的歧视和蔑视。在这样的氛围中,厌学、逃学、辍学时有发生,就不足为怪了。致力于提高学生的校园生活质量，就应该废止过于苛严的纪律和规训，切实提高教育性活动和课堂教学的质量。

从某种角度来看，提高学生的校园生活质量又主要是通过提高课堂生活质量来实现。认知、交往和审美，三者都是人类的天性。人生来就有真善美的需要，用师生共同创造的生活情境，用充实丰富的精神生活，弘扬和提升这些需要，这是教育过程中最深奥、最奇妙的领域之一。

叶澜先生的“让课堂焕发出生命的活力”，成为了中国教育界最具感召力的声音。究其原因，就在于它是对“教学特殊认识论”的超越，对人的生命价值的尊重，对师生共在的课堂生命质量的关注。在理论上我们谁都不否认对人的尊重的必要性和重要性，但到具体的实际行动中，人们就有意无意地淡忘了这一点。离开了对于现实的、具体的、个体的人的尊重，对人的尊重就成了一句空话，因为现实的、具体的、个体的人不可能按照一个尺度来衡量都是理想的存在。对人的尊重就意味着对人的独特性的尊重。

关注学生的校园生活质量，致力于提高学生的校园生活，特别是课堂生活质量，这是良好教育的应有之义。但是，没有教师高质量的课堂生活就难以有学生高质量的课堂生活。

教师的地位和作用是辩证地联系在一起的。近年来，我国教师的社会地位有了显著的提高，但与教师肩负的责任相对而言，还有一定的距离。从与责权利相统一的原则来看，只有把教师的社会地位提高到应有的高度，对教师的要求——敬业精神的要求、专业水平和教育能力的要求——才能理直气壮，才可以毫不含糊。任何侵害教师的合法权益和贬低教师在教育过程中重要作用的言论与行为，都将直接或间接威胁教师的校园生活质量。

当然,影响教师课堂生活质量的因素,不只是社会地位,教师个人的志趣和素养亦是重要因素。乐于与人打交道、热爱儿童,擅长表达自我的资质,都是影响教师校园生活质量的重要因素。只有丰厚的学识和彻底的理性才能赋予人一种大气。这种大气,作为教师是非常需要的,因为只有大气,才能真诚地鼓励学生放飞想象的翅膀，去拓展已经变得十分逼仄的心灵空间和精神世界。

教师从学生那里感受到的是渴望求知的热忱,还是索然无味的无奈;学生对教师是充满信赖与尊敬,还是疏离与不屑,教师的内心感受一定是迥然异趣的。当教师更多地感受到的是学生的昏昏欲睡、冷漠与迟钝,久而久之,教师的内心也就会变得麻木和苍白;教学就将成为教师无聊的劳役、机械的应付,教师和学生之间就很可能是相互敷衍。

“人必须成为自己的解放者,并在伦理意义上成为自己的创造者。”教育就是要营造一汪沐浴灵府的深潭,让人沉醉于其中,使人神清气爽,让人们有可能去经营生活、咀嚼生活、品味生活,成为一个情性通达、才智清明的人。为此,我们任重而道远。

18 教育情境的特质

业内人士对教育(教学)环境多有论及,但对教育情境尚缺乏充分的探讨。在笔者看来,“教育环境”更多地指涉活动主体置身于其间的物质的、外在的、客体的存在对象,而“教育情境”更多地关涉活动主体所拥有的“文化的、精神的、心理的、内在的、主体的”体验、氛围和人际互动。

尽管教育环境和教育情境都可以自觉地去创设,但教育环境更多地受制于客观条件,也就是说,教育情境的创设有着更多的主体能动性发挥的空间, 更能尽显创设者的眼界、见识、胸臆和襟怀。另外,教育情境较之于教育环境,有着更多的价值旨趣和精微义理,因而更直接、更深厚地蕴涵着教育的真义。

或许,我们可以这样提问:什么样的情境,我们便可称之为“教育情境”?更明确地说,我们根据什么将“教育”与“摧残”、“愚弄”、“欺骗”、“蒙蔽”、“操纵”、“控制”、“宰制”、“禁锢”、“束缚”、“奴役”、“洗脑”、“灌输”、“宣传”、“戕害”、“蛊惑”和“教唆”等等区分开来?而所有这些都可以以“教育”的名义和“教育”的形式出现。

对于理想教育的追求存在于人们细微的、日常的行为之中。教育情境是由我们的信念、态度、期望和行为投射而成的,它必然蕴涵着教师的价值追求、意愿、旨趣和个体所特有的方式。既然只能用理想去点燃理想,既然学校是心灵的接触最微妙的地方,既然人只能由人来建树,那么,创设、营造真正的教育情境就是良好教育的应有之义。

教育情境作为影响学生的一种现实力量，虽然我们不可能作具体、精确的描述,它却是实实在在地存在的。当一种情境能够称之为“教育情境”时,它一定应该在相当的程度上具有这样一些特质:

在这里充满着对人的价值与意义的理解和尊崇,能够使置身于其间的每一个人感受到充满内心的庄严感、崇高感和被净化了的自我超越感。在这里所感受到的一切能够把人带回到自我生成的、感性的、具体的、现实的、流动的、创造性的、具有鲜明个性特征的生活中,能够唤醒人们对于过去的美好时光的追忆和缅怀、对于未来幸福生活的向往和憧憬，使人们被崇高的信念所感召、所引领,有准备去承受那些在社会共同生活所必然带来的沮丧。

用心呵护和极力弘扬批判性的思考力是教育情境中的灵魂。在这一情境中充盈着一种有尊严的多样性:既有着对人类的核心价值虔诚的尊奉，也有着对于道义与良心的不懈的吁求，又保持着对任何教义和宣称的诘难和质疑;教师是“自由之精神,独立之人格”的守护者;经由宁静的沉思、潜心的创造、执着的追问、从容的表达,创获一种触及心灵的影响,使认知、交往和审美真正地培育人的精神,培植直面心灵与真实的勇气,生成洞幽察微的睿智和深刻。

在这里,没有强求一律和苛严的规训,建设性、创造性的冲突得到认可与欣赏。教师倡扬用自我反思的方法引导学生从各种束缚、禁锢、定势和依附中超越出来，“解放的旨趣”得到最佳的凸现和弘扬。当下的每一个场景都能成为积极的生命流程中的驿站。在这个时间的“流”中，能够清晰地觉知到历史老人由远及近的脚步。师生关怀问辩，亲密无间，循循善诱，相互熏陶，教学相长；使师生浸淫于一种丰富、和谐、光明、温暖、纯洁、疏朗、博大的氛围之中。在这里，充分展开思与思的碰撞、心与心的彼此接纳与宽容，自由交流成为常态。在晶莹明澈、静谧安祥的氛围中，开启幽闭的思绪，放飞囚禁的情愫。

在这一情境中，每一个人都能感受到自主的尊严，感受到独特存在的价值，感受到心灵成长的愉悦。师生都不知不觉地发生着一种变化：它永远地改变一个人与自然、社会、生活、环境、学习以及自我的关系；在这里，创生着一种新的表达方式和新的分享方式，创生着一种朝着进一步向未知之境开掘迈进的阔大和豪放。

只有在良好的教育情境中，健康的成长、和谐的发展才有可能；而惟有良好的教育，能够为每一位公民铺设一条由狭隘走向广阔的大道，引领他获致足够的鉴赏力，去享受整个人类千百年来所创造出来的那些最富有价值的精神财富和文化精品，使他有机会去创造属于他自己的美好人生。

神秘光辉的照耀、英雄品质的渴求、理想境界的眺望，应成为教育赖以栖居的背景。德国诗人荷尔德林有一句名诗：“人，诗意地栖居在大地上。”诗意的生存，就是那种在生活里到处都能感觉到趣味和美的存在的生存。内在于教育情境的教师和学生都应是诗意的存在者。他们之间的诘难问疑，他们之间的对话与交流，唤醒着彼此心中的眷念与期待，带着理想，带着憧憬，带着对于生活的热爱与柔情，走出课堂，走出校门，走向更为宽广、丰富和多样的生活世界。

19 “人的发展”意味着什么

我们通常可以在下列三个层面来理解“人”：人类、群体(如民族、社会、阶级、团体等等)和个人。因而，“人的发展”一语，正如国外学者所指出的，至少可以有两种释义方式。第一种，也是较不常用的一种，是把它与物种发展史联系起来，将它看成是人类在地球上出现的过程，用以与其他生物的产生过程相比较。较为通常的一种解释是把它和个体发展联系起来，从而看成是一个人从胚胎到身体死亡的过程。

由于“发展”是我们时代最重要的主题，在“社会发展”这一层面，关于“发展”的内涵和意旨有着相当充分的探讨。尽管国际人文—社会科学界对发展的目标、战略与模式存在着很大的分歧，但也逐渐取得了一些重要的共识。正如《联合国发展权利宣言》中指出的：“发展权利是每个人不可剥夺的人权，每个人及各国人民均有权参与、促进并享受经济、社会、文化和政治的发展，在这种发展中所有人权和基本自由都能获得充分实现。”“发展是人民与社会解放的进程，不能把发展降低为经济增长。”然而，在“个体”这一层面，“人的发展”的含义却缺乏充分、深入的探讨。

“教育与人的发展”无疑是教育学最重要的主题之一，因为教育的其他功能和价值都建基于“人的发展”。

然而在教育学的视域中,“人的发展”意味着什么?几乎所有的教育学著作和教科书要么语焉不详，要么不得要领,要么是心理学关于“发展”概念的简单移植,具有教育学意蕴的“人的发展”的概念、命题或陈述显得那样的苍白和贫乏,这不能不说是教育学的一大缺憾。

教育要促进作为具体的、活生生的、个体的人的发展,这是教育最重要,最核心的职能。其他职能,如提升社会的文明水准、增强综合国力、增进社会的可持续发展等等,都不过是这一“最重要、最核心的职能”的派生物。除了那些逆历史潮流而动的、黑暗的、邪恶的势力有可能利用“教育”来压制、摧残、戕害、泯灭人的自主性和创造性外,一切进步的、正直的人们都希望教育成为人的解放的力量、推动人发展的力量。完全可以说，作为人道主义事业的教育天然地要求关注人的发展。

过去在我们的教育学中,对于“人的发展”的理解，仅仅停留在心理学的理解的水平上，即:“发展指的是成长和才能在时间上变化的过程，这是成熟和环境的相互作用这两者的函数。”心理学关于“人的发展”最大的局限就在于：它剥离了个体发展的人文内涵和价值指涉,漠视了人的自主性、能动性和超越性,有着简单地把人混同于“生物有机体”,甚至将人“兽化”的嫌疑。

就教育与个人的关系而言,发展意味着什么?在我们看来,个体的发展不单单是一种心理学的事实,不纯粹是可以由心理统计指标来标志的，而是有着文化—价值指向的、持续不断的、对个体生命构成意义的变化。诚如心理学所指出的,发展意味着变化,但这种变化不是以受控的累加性的方式逐步实现的，而是由个体自主建构的内部的质的变化，它永远地改变一个人与他人、社会、环境、自然、自我、生活与学习的关系，改变着他的生活和生活世界；发展意味着新质因素渗入精神结构内部，并引起结构性的变化；意味着由于新质因素的增加而导致的生命境界的提升；意味着视界的扩大；意味着能切实地感受到自我心灵力量的增长。

对“教学与发展”有着系统、深入研究的前苏联现代心理学家、教育家赞可夫指出，要弄清楚与教学和发展相互关系有关的一些问题应该区分发展的不同类型：有“一般发展”，也有“特殊发展”。学生的特殊发展是与某一门学科或某一组学科相联系的（例如，数学、语言学和音乐的发展）。与特殊发展不同，一般发展涉及的是那些对学生掌握学校中任何一门学科的教材或者毕业后从事任何一种实际活动都有意义的个性属性。

值得我们警觉的是，发展不只是有类型和程度的区别，更重要的是，教学不仅不能等同于发展，而且也可能妨碍和阻滞发展，成为摧残、贬抑、泯灭学生发展的力量。只有那些富有想象力的教学，只有那些能够唤起意外与惊讶的感觉的教学，那些在教学内容上能够切入并丰富学生经验系统的教学，也只有那些给学生足够自主的空间、足够活动的机会的教学，那些真正做到“以参与求体验，以创新求发展”的教学，才能有效地增进学生的发展。因为学生在课堂上发展的即时感受大多表现为“茅塞顿开”、“豁然开朗”、“悠然心会”、“深得吾心”，表现为“怦然心动”、“浮想联翩”、“百感交集”、“妙不可言”，表现为心灵的共鸣和思维的共振，表现为内心的澄明与视界的敞亮。

把个体从日常生活的琐屑与平庸中提升到精神

的、超越的和形上的层面，从而赋予生命因为遐思、冥想和憧憬而秉有的灵动、舒展和充盈，这就是教育可以为个体的发展铺就的现实之路。

20 负担过重何以会导致肤浅

2001年《教育参考》第5期本刊评论员的《卷首寄语》，以“负担过重必然导致肤浅”为题，剖析了负担过重的危害，也提出了一个值得我们反复琢磨，甚至是有必要深入研究的问题，那就是：负担过重何以会导致肤浅。

在这里，负担无疑是指课业负担以及由课业负担引发的身心负担。课业过多以至于成为一种负担，这在我们今天的社会中是不容置疑的，人们或者习以为常，或者徒唤奈何。青少年学生的课业负担太重，原因固然是多方面的，其实也反映了我们成人社会中潜意识里“人不是目的，而是工具”价值取向：子女是我们未了心愿的实现者，子女有出息能使我们有一个体面的晚年，子女能出人头地可以省却我们许多的操心与烦恼，子女是光宗耀祖的工具……而所有这些都是以“为子女着想”为理由的。

负担过重之所以会导致肤浅，我想，原因恐怕就在于负担过重使得一个人忙忙碌碌，疲于应付，没有足够的时间去消化、深化、细化所获得的知识，去发现知识的个人意义，去建构属于自己心灵财富的知识。久而久之，学生变得内心麻木，机械呆板，未老先衰，暮气沉沉。

负担过重也不利于儿童的情感发展。研究认为，情绪和智力之间一直都有着相互作用、相互影响的关系；

对儿童施加压力，可以使他的思维水平下降到前一阶段。也可以这么认为，情感困难可能会妨碍儿童具备更高一级的逻辑思维能力，在某一发育阶段没有解决的情感冲突将阻碍儿童下一阶段的思维发展。

游戏是儿童与世界打交道的最佳方式，而负担过重有可能淡化、扭曲，甚至剥夺少年儿童以游戏的精神理解和把握世界。

游戏的心态就是超功利的心态，就是只重过程而不问结果的生活态度。负担过重有可能使得学生从小就养成急功近利、眼光短浅的毛病，而不利于学生理智的好奇心、强烈的求知欲、不倦的探究精神的培养，不利于学生批判的精神、怀疑的精神的培养，不利于不唯书、不唯上、不轻信、不盲从的独立人格的形成。人是一个整体，学生没有自主性、独立性的发展，就不可能有内心的丰富和心灵的深邃，就不可能有独特而鲜明的个性，也不可能有强健的人格。

闲暇是一个人自由发展的空间。没有闲暇，就没有自由发展；没有自由发展，就没有对世界深刻、独到的感悟、体认、理解与把握。兴之所至的自由阅读，超功利的精神漫游，没有外在压力的沉思冥想，最有可能创生独到的思想。思想的自由翱翔，需要广阔的心理空间，而负担过重只能使人的内心世界变得逼仄。

我在小品文《闲适》中写道："理性的顿悟，灵性的生发，需要闲适；心灵的舒展，视界的敞亮，也需要闲适；创意，往往在闲适轻松时翩然而至；情趣，也每每在闲适从容中一展风采。"课业负担过重是不可能带给学生一种闲适的心境的，倒极有可能使学生整日处在心事重重、焦虑不安的煎熬之中。

负担过重，还有可能导致学生智慧潜能的过早、过度的开发,使智慧潜能得不到应有的滋养、生发,而导致平庸和肤浅以及缺乏可持续发展的能力。在我们的学校中之所以有“前十名”或“前十五名”现象,这恐怕也是原因之一。

深刻的心灵，属于这样的人：他不满足于已有结论,不相信惟一正确的解释,不迷信权威的仲裁,不屈服于任何外在的压力而放弃自己的主张。而一个处于疲于应付、自顾不暇境地的人,哪里还有心思去批判、去怀疑,通常的情况是只能照猫画虎,生吞活剥,不求甚解。没有足够的时间和空间去参与自主探究,去获得深层次的体验,用被动接受、机械重复的方式使学生的头脑中充塞着一些僵死的、惰性的、呆滞的知识,当然也就只能导致内心的贫乏、苍白和肤浅。

负担过重会导致肤浅，负担过轻也不利于学生的发展。如果缺乏足够的智力负荷,缺乏理智的挑战和认知上的冲突,学生的精神世界也不会变得丰富和深刻。问题是我们学校中的负担过重主要是由于课程门类太多、太杂,教学方式过于陈旧与单调——机械训练、简单重复、题海战术、打疲劳战所导致的,这样的负担过重,使人疲惫,使人厌倦,使学校丧失对学生的吸引力,不能使学生获得深层次的、积极的情感体验,不能唤起学生学习的兴趣,激发学生成长的渴望,形成学生发展的内在动力。

学习是为了更好地生活,而不是相反,正如吃饭是为了更好地活着,而不是活着为了吃饭。既然当下的、现在的生活,也是生活,有什么理由为了明天的生活而牺牲现在,使现在的生活变得索然无味,苦不堪言?这也就是杜威提出“教育即生活”的理由。这个理由应该说从今天看来,仍是有说服力的。

伍

教育的灵魂

JIAO YU DE LING HUN

21

教育的灵魂

“教育是一个评述用词。说某人是受过教育的人，就是在称赞他，说他具有某些可贵的品质。一个教育过程一定要成为使人产生这些可贵品质的过程。”教育意味着价值引导，它以培养“可贵品质”为职责。然而，道德教育实效的低下却是不争的事实。这与当今人类普遍重视道德与道德教育在社会文明进步和人的自由与解放中的重要作用的趋势是很不协调的。就中国的现实而言，市场经济体制的逐步建立和完善，政治民主化程度的提高，为每个人提供了大量的进行判断、选择和行动的机会，大大地拓宽了人们道德实践的范围和领域，为提高全民族的道德素质创造了体制性的前提，也对学校的道德教育提出了新的要求。

而我们的教育，特别是道德教育，是一种无视主体性的教育。这种无视主体性的道德教育培养出来的人大多数表现为缺乏独立性、主动性和创造性，缺乏自主自律能力，缺乏进取精神，表现出盲目从众和循规蹈矩，表现为逆来顺受和忍气吞声。个体的、具有主体性的人的道德水准是决定整个民族的道德素质的关键，社会生活和现代教育的发展都呼唤着“主体性道德人格教育”。

每一个时代都有自己的理想人格。它体现着一个时代的人生追求和价值取向，体现着做人的方向和人格标准。笔者认为，主体性道德人格应该是现时代的理想人格，主体性道德人格教育应该是当今中国教育的灵魂。

主体性道德人格，即独立、理性、自为、自由的道德人格，用描述性话语来说，就是处变不惊、清醒从容、有所执着、敢于担待的道德人格。如果说理想人格是时代精神在个体人格上的凝聚与表征，那么，主体性道德人格则是现时代理想人格更为内在或更为本质的方面。主体性道德人格作为个体生命最为独立、理性、自觉、自为、自由的存在方式，使个体的道德行为植根于明敏的心灵、无畏的勇气、坚强的毅力和热诚的信念成为可能。

主体性道德人格之所以有高扬的必要，是基于这样一个事实：在我们的生活中，特别是道德生活中，自由意志和个人责任是相互联系的两个方面，只有当一个人能够如他所期望的那样从一开始就自由地行动时，我们才能对实际上发生的事情追究责任。也就是说，自由意味着责任，责任必然要以自由为前提。自由意志并不神秘，“自由不在于幻想中摆脱自然规律而独立，而在于认识这些规律，从而能够有计划地使自然规律为一定的目的服务”。道德选择中的“意志自由只是借助于对事物的认识来作出决定的那种能力”。经验表明，随着道德选择的自由度的提高，道德责任感也越强。主体性道德人格教育力图标志着这样一个方向，即个体人格尊严的确立和对个人自主选择的尊重既是道德教育的目标，也是道德教育得以有效进行的前提。

主体性道德人格教育力图扬弃和超越道德教育中

两种貌似对立的倾向：一是从脱离社会生活实际，特别是脱离学生的道德生活实际的高远的道德理想出发，将道德教育变为空洞的说教和粗暴的灌输。二是无视人的价值内涵和精神品性，把道德教育变为琐屑的行为训练和消极防范。之所以说二者是“貌似对立”的，是因为它们共同地漠视了发展中的个体作为潜在的或显在的道德活动的主体所应有的人格尊严。实际上，它们由于过分执着于“社会人”的教化，而忽视了(漠视了)“个体人”的道德尊严、人格尊严的确立，因而使得道德教育缺乏内在的动力和深沉的感召力。

主体性道德人格教育，表达的是一种价值理想和在应然的意义上对道德教育所作的价值追求。主体性道德人格教育对民主制度的发展与完善，对社会的安定与和谐，对社会公正的确立与维护具有重要的价值。因为具有自主的理性、自律的道德判断和道德实践的个体是民主的、和谐的、公正的社会建立的基础。非主体性的道德教育也许能造就良民、顺民，但它只能成为专制和特权社会的基础。

在世界范围内，不少教育家开始认识到，以往的教育研究停留在应用“释义学”与“经验”的研究手段上，只注重教育事实的描述、解释、预测与检验，而忽略了对教育事实及其社会条件的批判。由此产生的后果是，教育研究忽略了主体的把握，不把教育看成是一种价值的赋予、形成和创造的过程。这样，教育研究长期以来仅仅把教育看成是一种技术性活动，只关心如何才能达到教育目的，而并不对目的本身是否具有合理性进行必要的批判。因此教育研究仅仅发展了“教育术”而没有促进“教育学”的真正发展。任何教育研究，如果脱离了对教育所置身其间的社会背景的分析与批判，对教育问题的理解和把握就会是肤浅的、缺乏整体性和方向感的。缺乏合理的价值预设和目标的设定，任何具体的操作规程的探索，轻则遁入盲人摸象的困境，重则将实践导入歧途。

我们标举主体性道德人格教育，其目的就在于通过对以往教育(特别是道德教育)的理论与实践的反思与批判，实现向主体性道德人格教育的转向，使道德教育，进而使整个教育获得与时代发展的主旋律相一致的品性与意蕴。

22 教育就是服务

“全心全意为人民服务”，曾经是我们脚下的这片土地上最富感召力的口号。尽管“人民”一词，在我们的语境中，不像是在西方语言中是与“政府”相对的一个概念，而是与“敌人”相对的一个概念。因此，“人民”一词便有了政治的意味和阶级的属性。另外，“人民”也是一个集合概念，单个具体的人无法自我定义为“人民”；得不到应有的服务就很可能是这样的逻辑使然：“你怎么可以代表人民”或者“我怎么可以知道你就是人民”（言下之意便是“你为什么就一定是人民，而不可能是敌人”）。

我们不难注意到，先前的“中国人民建设银行”，已去掉了“人民”二字。私下里揣摩，原因很可能就是：银行作为一种公共机构，我们总不能只允许“人民”来存钱或是贷款吧。况且，在真正推行民主与法制的国度，尽管还会存在各种各样的刑事犯罪分子，需要依法惩治，但“阶级异己分子”、“敌人”等概念却需要被消解。这样一来，“中国人民建设银行”的“人民”二字就没有了实质性意义，干脆去掉。这大概也可以视为新时期务实精神的一种生动写照。

在市场经济时代，在力行民主与法制的时代，要使“为人民服务”这句口号有实质性的意义就得消解“人民"的政治内涵，使它成为"公民"、"民众"、"公众"、"国民"、"大众"的同义词或代名词，使它成为可以指称我们生活中的每一个人的日常话语：对于售货员来说，"人民"便是顾客；对于导游来说，"人民"便是游客；对于法官来说，"人民"便是原告和被告；对于教师来说，"人民"便是学生和家长。

先前，教育一直充当着"牧使"、"教化"的角色，"人民"成为了需要教育的"群众"甚或是"群盲"。那么，谁有资格充当"教育者"呢?答案自然是不言自明的。

在中国传统文化中，"教师"的"师"之含义便是"凡能率众能牧民者，谓之师"，故《学记》有云："能为师然后能为长，能为长然后能为君。"反过来，则是能为长、能为君者，便是理所当然之师；而且最大的师、最高的师，便是君、便是领袖(怕正是因为这一逻辑，毛泽东被尊称为"伟大的导师")。由于这种文化逻辑，教育只不过是师之惠泽、师之恩荫，学生只有对教师膜拜、景仰的份，根本不可能奢望教师为其服务。教育主管部门、教育行政官员、学校、校长、教师可以高高在上，以至于学生成为学校和教师要挟家长的人质的现象也绝非个别。

今天，人们提出了一个很有意味的概念，名曰："教育消费。"显然，消费者便是那些有教育需求的民众。在笔者看来，教育成为第三产业的一员，这并非教育尊严的失落，而不过是使培养、造就能够"建国君民"的"君子"、"士大夫"、"接班人"的教育真正成为"使每一个人成为他自己"的教育。尽管普及教育已有时日，但教育一直是推行某种主流意识形态的工具，仍然是"学在官府"的延续。就此说来，与"教育就是服务"相辅相成的

"教育产业化"、"教育消费",不过是"旧时王谢堂前燕,飞入寻常百姓家"罢了。

牢固确立"教育就是服务"的观念,就是要使我们的教育在制度、目标、措施与方法层面真正做到"一切为了学生,为了一切学生,为了学生的一切",真正做到"为了全体学生的全面发展",特别是能够公正地对待每一个人,向他们提供最恰切的教育,使具有不同天赋、潜能,不同气质、性格和不同文化背景的学生都能得到最充分的发展,以便他们在社会生活中能够找到他们应处的位置,最充分地实现他们作为"大写的人"的价值。

将"教育就是服务"的观念落实到日常的课堂教学之中,便是尽可能地为学生的发展提供机会,让学生更多地体验到被人关注、被人爱护的温暖与幸福,更多地体验到自由探索与成功的快乐和自豪,更多地感受到人性的光明与和煦,感受到仁慈、宽容与敬业的力量。真正良好的教育一定是最具服务精神的教育。我深信,"教育就是服务"落到实处之日,便是教育的春天真正到来之时。

23 情感教育之所以必要

当今教育界的一些有识之士极力呼吁情感教育，并将情感的发展列入评价学生发展的重要指标，细细想来，实在是非常必要的。

这首先因为人是一个整体。知、情、意、行四个方面是相互影响、相互生成的。凭经验我们就能知道，没有情感的脑力劳动，就容易导致疲劳。更由于对事物的理解，远远不只是一个单纯的理智问题，不单纯是一个观察、分析、推理的问题，它同时与人们的动机、趣味、意向、胸臆和襟怀相联系。一个心胸狭窄、器局很小、情感偏执的人，往往不能冷静、公正、客观地看待问题，特别是当问题与个人利益有一定关联的时候。

歌德年轻时写过这样一句话："人们只能认识自己所爱的，爱或激情越强烈越充沛，认识就越深刻越完整。"在他的一生中，他一再以不同的方式在不同的场合重申这一思想。爱与认识，激情与理智，理性与非理性，作为完整的人的不同的生命表现形态，有着最深刻、最内在的相互增进的关系。

对于生命、对于心灵，我们不能缺少的是反省能力和批判精神，因为在生命的运动中，一切都转瞬即逝，所谓"绝对的真理"、"最后的知识"只是一厢情愿和对生命激情的扼杀。但唯理智教育"是以传授系统知识、开发理性能力为惟一目的，借助具有固定含义的语言、概念、逻辑、科学等理性化的手段和工具来实施的教育”。“其根本缺陷在于将认知从情与意中剥离出来，将真从善与美中抽取出来，撇开情感与意志讲认知的发展。”(朱小蔓)这样的教育不仅无助于学生情感的发展，就是理智的发展也难以取得应有的效果。

一个受过情感教育的人，一定会是一个温顺、谦和、善于沟通且能唤起人们对于生活的热爱与柔情的人，而不会是一个专横、霸道、粗野、暴戾之人。在世界范围内，许多大的跨国公司的高层技术人员中有许多华裔，而在高层管理层却鲜有我们的同胞，据认为是因为华裔人士不太擅长人际沟通，特别是不善于面对面的人际沟通，不知道此种归因是否真确，但在我们的国民性中有一个较为普遍的现象不能不引起我们的思考，那就是：人们一旦得势，就极易自我膨胀，表现出极端的自我中心：刚愎自用、惟我独尊、专横跋扈、盛气凌人；如某某“庄主”、某些私营企业的老板。这大概也与没有受过真正意义的情感教育有关：一直处于被人忽视并多少有些自我贬抑，久而久之，被人关注、被人欣赏就成了一种强烈的、缺失性的需要，其表现就会是一些病态的自恋和自大。

为了造就能够创造幸福生活的人和民主社会的建设者，给学生更多的关注、关爱，更多的鼓舞与欣赏，这对于防范和消除病态的自我中心和自我膨胀，塑造民主的性格，当是十分必要的。民主的性格就是乐于分享、善于沟通、勤于反思、勇于承担、敢于创新的性格，就是能与所有人平等交往、坚守自我的尊严和高度尊重他人的性格。这种性格是需要用真诚、关爱和平等的交往去培植的。情感教育是由爱所牵引的教育,是基于对学生生命尊重的教育。

有学者指出:从工具本体的建设转向情感本体的建设,正是未来人类发展的方向。人类在获得了空前的物质上的巨大成就的同时也导致了人们精神家园的荒芜,导致了与自我、与他人、与自然、与我们本该敬畏的对象的疏离。这在很大程度上是由于欲望的膨胀,把情简单化为了欲,把人异化了,把人当做了机器,用冷冰冰的制度或人际关系窒息了人的生命激情。当人徒有欲,或冷酷无情时,则"异于禽兽者几稀"了。

美国心理学家戈尔曼(Daniel Goleman)的著作《情商》(Emotional Intelligence)揭示了人类潜在的情感方面得到发展的重要性,因为有越来越多的证据表明,一个人一生中最基本的道德立场根源于潜在的情感能力。情商是让我们更充分地展示人性的一系列特性和品质,它们对我们的命运具有广泛的影响。"情商=能力,这些能力包括:激励自我,坚定地面对挫折,控制冲动,使满意持久,调整心情,不要让忧伤影响到思考、移情和憧憬未来的能力。"这与弗洛姆所说的"爱是一种能力"有着异曲同工之妙。

正因为情感在人的生命历程中有如此重要的价值,以直接促进学生的情感发展为目的的教学才得以受到特别关注。当代许多卓越的教育家都有过精深的论述:赞科夫指出教学要着眼于学生的一般发展;苏霍姆林斯基要求教学丰富学生的精神生活;巴班斯基认为教学要致力于全面培养学生的个性;罗杰斯则把发展学生自身潜能和积极向上的自我概念和价值体系作为教学的首要任务;布洛姆等则明确地把情感列为教学三大目标领域之一。尽管每个教育家的表述不尽相同，但都认为应当培养学生积极健康、丰富细腻的情感。因为它是与正视困难、不畏挫折、主动进取、自信自尊的性格品质相联系的。

情感教育之所以可能，就在于“谁言寸草心，报得三春晖”、“床前小儿女，人间第一情”这些“人同此心、心同此理”的美好情愫流淌在我们的血脉之中，这也是千百年来人类文明积淀的重要成果。在我们的心中潜存着一些人类永恒的情感，诸如感激、同情、敬畏、羞耻、亲情、友谊和爱恋，这都是需要教育去开启、唤醒和提升的。进而如何在孩子们的心中培植安全感、信任感、自豪感、崇高感、神圣感、责任感，这就更是需要我们认真研究的问题。

情感教育是心灵的晤对与真情的沐浴。它牵引着人们回到真实的生命状态、回到本原的心灵感觉，去体悟我们内心深处的灵性之光。而那些凡是遮蔽了我们生命热情的东西，遮蔽了我们对于无限、永恒与神秘的向往与渴求的东西，都应该引起我们的警惕和追问。只有在对过程的追求、对“现在”的真切感受中，我们才有可能在有限中发现无限、在卑微中开拓出灿烂。我们需要勇敢地直面自己的心灵，需要有“完全将自己交付给内心最完美的启示的勇气”。蔡元培先生在谈到美育之于情感的作用时曾这样说过：“人人都有感情，而并非都有伟大而高尚的行为，这是由于感情推动力的薄弱。要转弱而为强，转薄而为厚，就有待于陶养。陶养的工具为美的对象。”

情感教育也是对本能、对直觉、对当下的呼唤，这宛若一朵朵周而复始、次第绽开的玫瑰，在一阵阵闪烁的火红中,我们那曾睡去的心灵,将会因为它的浸润,慢慢恢复生机和活力,直至幡然悔悟、重现本身。

饱食终日、无所用心,精神萎靡、麻木不仁,得过且过、心如死灰,这些都是教育的大敌。而情感充沛、精神饱满,潜心投入、心无旁骛、信心十足、追求卓越,则是学生获得更充分发展的心理基础和人格品质。大量研究表明:学生学习成绩的好坏,不仅取决于他(她)的智商,还取决于他(她)情意的发展。情意包括求知动机、理想和抱负、意志的坚定性、兴趣和情绪的稳定性、独立性、好胜心和自我意识等七个方面。

培养学生敏感的心灵、丰富的体验、细腻的感受,是完整人的教育所需要的。因此,在学校教育中,让学生有更多的活动、更多的参与、更多的平等交往与对话、更多的美感陶冶,更多地与自然界交融,更多地感受到被人欣赏、被人关爱的温暖与幸福,这都是情感教育的现实途径;在情感教育中,既要有春风化雨、润物无声的感化与陶冶,又要抓住一些教育契机使学生获得高峰体验,使学生获致“登山则情满于山,观海则意溢于海”的情性修养,朝着最终达到“得失在所不计,毁誉无动于衷”的生命境界而努力。

24 创新教育:关注学生的全面发展

创新能力不仅是一个民族、一个社会富有生机与活力的前提条件,也是一个民族、一个社会文明发展水准的标志,是一个国家综合国力的重要组成部分。但创新不仅指为整个社会、整个人类文明带来变革的新质因素的产出,也包括对于自我具有提升生命质量的发现和开拓,马斯洛将前者称为"特殊才能的创造性",将后者称为"自我实现的创造性"。

也就是说,对于我们许多人来说,创新仅仅意味着对于我们个人自身有一种新的经验或思想的产出和获得。这意味着,创新不只是属于那些社会精英分子的专利,我们每一个人的生活本身是值得我们去创造的。从某种意义上说,创新是自我实现的最高的表现形式。教育作为人道主义的事业,创新教育理所当然应该关注个人生命质量的提升、关注学生自由全面的发展。

许多论者把创新教育理解为(或者说等同于)创造教育或创造力教育,这在笔者看来,是大大地窄化和浅化了创新教育的意旨和内涵。应当把创新教育理解为教育哲学意义上的教育转向:从守成性教育、维持性教育到创新性教育的转向,从注重教育的文化传承功能向注重教育的文化革新功能的转向。这一转向涉及到教育目标、教育内容、教育原则和方法、教育评价标准的全面的、根本的变革。

正如“素质教育”是涵摄、统领整个教育全局的教育发展方针一样，创新教育也不仅仅是教育方法的改革或是教育内容上的增减，而是教育功能上的重新定位，是带有全局性的、结构性的教育革新和教育发展的价值追求。

创新教育是不是排斥和否弃知识教育呢？当然不是。正如人们所熟知的一句西方格言“空袋不能直立”所蕴含的道理一样，知识是我们的精神成长和人格强健所必不可少的。无知必然无能，贫乏必然平庸。但关键恐怕在于获取的是何种知识，特别是如何获得知识。这有一个知识观的转变问题。

如何通过知识获得解放，这是我们这个时代需要不断追问的严肃问题。学习是为了获得知识，这似乎是天经地义的事情，然而只要我们敢于正视这样的事实：受过 20 多年正规的学校教育、通过无数次严格的筛选、拿到了博士文凭的许多人在学术创新、知识创新上仍鲜有建树，在个人生活方面亦是单调乏味、了无生气，我们就不得不反省一下：在知识量上的增加是不是激发创造潜能的惟一条件？进而我们甚至要问：在何种条件下，知识的增加反而会压抑甚至泯灭人的创造力？

创新教育与个人自由全面发展的教育在精神实质上应该说是潜相交通、互为因果的，换一个角度来说，创新教育只有以个性自由全面发展的教育为依凭、为底蕴，才有可能防止将创新教育窄化、浅化和庸俗化。不能把创新教育简单化地理解为创造力教育，甚至简化为创造技能教育,尽管创造力教育(包括创造技能教育)的确是创新教育的重要组成部分。创新教育需要有助于生命的舒展、生命的涌动的教育情境的创设,甚至是整个社会崇尚开放与多元的文化形态的创生。

可是,“人们过多地把批判看做一种邪恶的力量,而不是反省和促动的力量,在当代中国尤为突出。而这种‘单向度的思维方式’带给我们的则是对开拓、进取和创新意识的禁锢,是对否定、升华和超越能力的丧失以及对求是、向善与臻美精神的背离。”这不仅仅是令人遗憾的。

有学者对于创新精神作了富于诗意的表达:创新精神其实是一种游走型智慧生存方式,是不断地探求人类求知境界的探险精神,它本能地摒弃认同于任何一个正确答案,摒弃停泊于任何一个特定领域,摒弃遵奉于任何一个传统规则(秦志强)。

不满足于已有结论、不相信惟一正确的解释、不迷信权威的仲裁、不屈服于任何外在的压力而放弃自己的主张,这都是创造型人才的人格特征。因此,我们可以说,对创造力的呼唤亦是对“自由意志、独立人格”的呼唤,是对“立于天地之间”大写的“人”的呼唤,是对专制主义的蔑视和对机械唯物主义的超越!具有创造力的人往往是心灵可以素面朝天的,他们往往具有率性而为的真情性,往往能超越于世俗与功利的羁绊。

确立关注学生自由全面发展的创新教育的观念,有助于我们站在时代的高度来自觉反省、检讨我们以往的教育,有助于我们只争朝夕地克服应试教育对学生创新精神的压抑、对创新能力的摧残、对创造型人格的蔑视,有助于使素质教育的推行有更明确的方向,有助于素质教育的实施落到实处。

25 新世纪的教育：有尊严的多样化

教育是人们寻求解放，从狭隘走向广阔的过程。个性、独特性和多样性，既是教育的重要资源，也是教育追求的目标。

新世纪的教育，无论从办学体制，还是培养目标，也无论是教学内容，还是教学的手段与方法，都需要多样化。因为无论是一个学校的办学特色，还是学生的个性发展，都是以承认、接纳、尊重和珍视多样化为其存在的前提的。个性就意味着差别和多样化。而多样化总是优于单一化的，因为多样化包容了即使是最好的单一化。对多样性的尊重，就意味着对于个性和独特性的尊重。

肇始于西方的文艺复兴，经过以卢梭为精神领袖的启蒙运动和以康德为代表的哲学革命，一直延续到西方的现当代，有一个重要的思想主题，那就是对于个人自由与独立意识的呼唤和弘扬。这一思想主题的核心内容是强调个体与群体的区别，强调个人对社会的优势地位和个体的独立、自由：人类自觉地意识到了每个个体的人作为人类整体(类存在、群体、各种各样的共同体)中的一个特殊的存在而有别于其他同类，每个人都是一个特殊的世界；人类要想充分地发展自身，必须首先发展每个个体的独特性，让个体在社会中保持其独立性,尽可能地给个体以自由。

社会发展的最终目的是为了个人的全面而自由的发展,并且是通过人的自由自觉的活动来实现的。个人的发展、个人的幸福和个人的自由都有着“独立的善”的价值,它不需要别的任何价值来证明。也就是说,并不因为个人自由是社会自由的条件,也不是因为个人发展是社会发展的一个条件,个人自由、个人发展才有了价值,个人自由、个人发展其本身就是目的,有着自足的价值。更何况现实的个人是社会发展的重要动力,离开现实的个人的发展,社会的发展就是不可理解和毫无意义的了。

中国曾是一个封建专制制度长期盛行的国家。“专制制度的惟一原则就是轻视人类,使人不成其为人。”专制制度推行的政治奴役、思想钳制、精神禁锢、个性贬抑,即使在我们今天的社会生活和校园生活中仍有着广泛的表现:无视人们的自由民主权力,压抑社会成员的积极性、能动性、主体性和首创精神。以至于我们经常能够感到到处都是麻木意识、奴性人格,这主要是因为人们被决定的太多了,被束缚得太久了,从而使得人们丧失了心灵舒展、思想飞翔的能力。在我们的教育中,教师中心、教师主宰、对学生理智能力的极端蔑视,以永远正确的说教敷衍学生,其实都是专制主义的表现。

是到了我们深刻地反省我们的教育的时候了!在我们的教育中对自由探索的推崇没有受到足够的重视,甚至是受到了相当程度上的限制。而自由探索需要我们宽容不同意见,尊重个人表达其思想的权利,不论其价值观多么与众不同,都能享有外在的自由而不必担心受到追究、责罚或者迫害和制裁。

当然，对对立的意见的宽容，并不意味着这些意见可以免遭批判性的审视。之所以有必要推崇自由探索，是因为如果存在对立意见自由交换的机会，我们就有通过商谈而达成共识的可能，就能拓展我们的视界；相互交换意见的过程往往与结果同样重要，在教育中甚至更为重要。因为真理更多的是一个过程，我们始终只是在真理的路途之中，我们“始于迷茫，而又终于更高水平的迷茫”。

为了我们的教育有尊严的多样化，为了个人自由全面的发展，把有争议的问题、敏感的话题、社会生活的光明面和阴暗面、教师内心的真实想法，带入课堂，带入学生的精神生活，是我们明智的选择，也是我们对于我们自身和我们生活于其中的社会拥有自信的表现。尽管有的学生可能因此成为叛逆者、危害社群的人，但可以肯定，将会有更多的学生成为具有创新意识和创新能力的美好人生与美好社会的建设者。良好的教育注定不会因噎废食，因为良好的教育必定有一个价值预设：人性向善，“在我们之中，在我们所做的事情之中，终究是好的多，坏的少”(Norman Meiler)，人类追求光明、追求进步的内在冲动永存于我们的血脉之中。

陆

教师的学习与成长

JIAO SHI DE XUE XI YU CHENG ZHANG

26 以古典的心情对待学习

在今天这样一个由效率和技术主宰的时代，古典的心情，心性的修养，精神的价值，人文的关怀，渐渐地变得陌生与遥远。学习也就在心浮气躁、急功近利的主导下成为了外在的包装、利益的算计、轻巧的复制。

愈来愈多的人，希冀学习给他们带来立竿见影的效果与实惠。的确，有些知识与技术的学习，是有这种可能的，如股票与期货的知识。然而，在更多的领域和情况下，为了获取可以立刻变成工作成绩的操作性知识和经验的学习，其效果往往并不理想。任何知识，特别是个体的经验，都存在于一定的精神生态之中，要使它具有价值就需要有一个个性化的过程。没有把别人的知识和经验经过改造、扬弃、整合升华为自己的精神修养的学习是没有多大价值的，充其量只是些小技巧，而不是大智慧。

有更多的学习，其价值是十分间接的、潜在的，这就需要我们以宁静、闲适的心绪来对待。尽管古老的智慧、经典的知识，往往难以具有实际的功效，但都具有益人心智、怡人情性、变化气质、滋养人生的价值。这就是古人说的“腹有诗书气自华”。如果我们注意观察，就不难发现那些文化层次不高的人，其眼神多少有点浑浊、蒙迷和呆滞，而那些学问修养深厚的人，则目光坚定、炯炯有神，放射出智慧的光芒，坐在他们身边，即使默默无语，也能感受到一种博大与深厚，如同夏日的月夜坐在海边。

学者们把学习定义为获得知识与理解，或者通过切身体验或研究而掌握知识的过程。把获得和创造知识的过程定义为学习，能使我们区分作为过程的知识和作为结果的知识。心理学家肯·韦尔伯把真正的学习定义为我们的思想与理解向深层次结构的转化。当学习的突破发生时，我们的理解就扩大了。我们看到旧的知识并没有错误的地方，但是太小。我们于是“翻译”或重新组织我们的知识来适应新的、更为广阔的世界。学习是一定的重新组织和解释经验的过程。例如，一个小孩首先学会走，然后学会跑、跳和舞蹈。世界上所有这些新的操作形式并没有让旧的“走”的知识孤立。走的知识被整合到扩展的“舞蹈”的理解中，或者是随着韵律和声音而运动。

真正的学习正是人深层的精神需要，是“思接千载，视通万里”的精神漫游。学习需要刻苦，但更是一种快乐，是用努力酿造的快乐。学习总会有功利性的收益，但是，仅仅从功利出发去学习，却是违背人大性的劳役。在都市生活的浮躁中，倘还能保持一些古典的心境，一些虽经污染却还能沉静的心情去对待学习，像当年陶渊明那样，“历览千载书，时时见遗烈”，打破当下的局限而游心于千载，去领略“书中乾坤大，笔下天地宽”的意趣，这是何等令人心旷神怡的事情!

记不得是哪一位天才有过这样富于诗意的表达：“文字就是生命的酒”，这使人对海德格尔“所有的思都是诗”的命题又有了一种悠然心会的体认。的确，表达浪漫情怀、呼唤真诚、讴歌善良的文字,永远有着不可漠视的无穷魅力。

心与书的交流,是一种滋润,也是内省与自察。伴随着感悟和体会,淡淡的喜悦在心头升起,浮荡的灵魂也渐归平静,让自己始终保持着一份纯净而又向上的心态,不失信心地契入现实,介入生活,创造生活。

“三更有梦书当枕”、“半床明月半床书”,自古就是高洁之士的写照。明月虽然清寒,书却因博大精深而温润生命。阅读中你会一次次受感动,又会在感动之后更深切地洞悉生活的真谛;读书的过程也就是一个“物我的回响交流”的过程。因为它能唤起我们对永恒和伟大的渴望,所谓“高山仰止,景行行止”,那是可贵的创造力的源头,是人类文明发展不竭的动力。

柏拉图的“洞喻”表明:亮光在你背后,生命期待着我们的“蓦然回首”。当我们能以古典的心情对待学习时,春日的鲜花、夏日的小溪、秋天的明月、冬天的残阳,都将以更为美好的风姿走进我们日臻完满的生活。

教师的专业成熟及其途径

27

成长是我们生命中永恒的主题，感受到自我的成长无疑是一件惬意的事情。教师的职业是一种专业。这意味着教师的劳动具有创造性和复杂性。从教学新手到专家型的教师，其间有一个专业成熟的过程。

教师的专业成熟包括这样三个方面的内容：专业眼光——能用发展的眼光、教育的眼光看待学生和用整体的、和谐的眼光看待教育性活动；专业品质——建基于教育理想与信念、体现于日常的细微的行为之中的以身作则、率先垂范；专业技能——课堂监控、演示讲解、练习指导等方面的技能。

成熟就是自主地、理智地热爱，成熟意味着心智的和谐发展、有效的自我表达以及对自己的行为负责。

自主地、理智地热爱意味着“有所弃之后的有所取”，有着自由意志和独立人格，热爱自己的工作、自己的专业，热爱自己当下的生活。

心智的和谐发展”意味着不偏执、不狭隘、不固步自封、不因循守旧，而是随时敢于打破已有的均衡，去重新开始新的探索并有勇气去承受可能带来的沮丧。

“有效的自我表达”意味着我们不心灰意冷，不麻木，不冷漠，有感情有需要向别人体面而充分的表达，能平等地与所有的人交往，能带给人以坦诚和温暖。

“对自己的行为负责”意味着自主判别、自主选择和自主承担，意味着你可以活出你所认为的“成熟”，并对你的行为可能招来的嘲笑与非议作出自己的判断并坚守自己的立场。

教师的专业成熟，其途径大体上有学历提升、各种形式的短期培训、校本培训、参与教育实验这样四种形式。

1.教师的学历提升

教师的素养包括这样三个层面：文化底蕴，教育追求与教育智慧。文化底蕴即我们对于人类的精神成就的分享程度，它决定着我们对于世界理解的广度和深度；教育追求就是我们对于教育根本问题的个人观念，它决定着我们的关于教育的理想和信念；教育智慧就是我们处理日常的教育问题所表现出来的机智、技巧与艺术。

教育追求和教育智慧都只能从我们内心生长出来，其长势取决于土壤的肥沃程度：我们的文化底蕴，我们的学识修养、心性修养、精神修养；教育追求和教育智慧也都不可能从外面灌输进去。没有任何一门课程可以直截了当地教给我们教育的智慧。

半个多世纪以来，关于教师的人格特征的研究，已经积累了大量的文献，业已明确了一个好教师应具有的人格品质。盖兹达(G.M.Gazda)等人曾将许多这方面的研究加以综合概括，指出“一个好教师应具有的人格品质”包括：提高别人的学习能力，增强他们的自尊心与自信心，缓和他们的焦虑感，提高他们的果断性以及形成并巩固他们为人处世的积极态度，等等。

教育活动是一种创造性的劳动，这种创造明显地不同于一般发明创造或艺术创作，它没有成比例的因果关系和确定的显性目标，而是浸透着人文精神的一种不间断的无止境的探究完善过程。为此,教师必须在以先进的教育理论为指导的研究状态下工作。

学历不能等同于学力,但这只是问题的一个方面。问题的另一方面是，无论从群体抽样的概率统计优势来看,还是具体到个人,学历与学力,即使不是成正比,也一定成正相关。因此,教师的学历提升还是十分必要的。教师基础文明的教养程度决定着他们胜任工作的程度。全国各地许多省市纷纷提出教师任职的学历标准,应该说是十分必要的。

2.各种形式的短期培训

作为实施“园丁工程”在全国各地广泛开展的各种层次的“骨干教师培训”,有着重要的现实意义和深远的历史意义。它对于培养学科带头人,促进教师的专业成长,将起到积极作用。

这种形式的教师培训所注重的不应该是一招一式,不应该是教学的技能、教学的模式,而主要应该是教育的理想、教育的信念、教育的境界、教育的追求,是不断地去唤醒、激活和弘扬存在于每一个教师心中的“教育的智慧”、“教育的点金术”。这就是教师培训不同于其他职业培训的地方。对于礼仪小姐或营销人员的培训,我们可以详尽到服饰和化妆的一些具体要求,而对于教师,穿着打扮只要得体大方就可以了,薄施粉黛或素面朝天，二者各有千秋。多样化是教育的一大资源,而强求一律则有可能扼杀个性。学校是心灵接触最微妙的地方,教师需要用心灵去工作,最主要的是教师的精神修养、心性修养。离开了这个,一切的规训都将缺乏灵魂、缺乏神韵，而灵魂与神韵却只能是内生的，只能唤醒内心明敏的感受力去体味，去感悟，而不可能从外面灌输进去。

因此，创设一种情景并有充分的互动，以便使教育思想成为教师的信念，是十分必要的。因为教育信念的形成，需要有丰富的个体体验和理论的彻底性。

3.校本培训

“以校为本”的教师培训有着良好的前景。所谓校本，即“以学校为本”、“以学校为基础”，它包含三方面的含义：一是为了学校，二是在学校中，三是基于学校。

所谓“以校为本”的教师培训是指由多个教育专家组成的“教学诊断—评价与教师培训”小组深入到具体的学校，针对该校的实际情况，在对教师的教学进行诊断与评价的基础上所实施的培训。

在校本培训中，引导教师系统地阅读是极其重要的。只有当教师建构出一个认知平台，形成对于教育问题的基本的认知框架，他才会有基本的判断力、鉴赏力、批判性的思考力。通过系统地阅读优秀的教育文献，在教师们的心中确立起关于教育的基本的问题、基本的概念与范畴、基本的原理与命题。

促进教师的成长，最重要的是要帮助教师养成良好的阅读习惯，系统地阅读，批判性地阅读。文字作为表达人类思想与情感的载体，其广阔与纤细、其玄妙与确当，恐怕是其他形式，比如图像与音韵所比拟不了的。文字背后有广阔的空间，给思想留下了纵横驰骋的广袤的场域。张大千(1899—1983 年)先生说：“作画如欲脱俗气、洗浮气、除匠气，第一是读书，第二是多读书，第三是有系统、有选择地读书。”读书对于画家尚且如此重要,何况对于教师。

4.参与教育实验

“科研兴校”已逐渐成为广大中小学领导和教师的共识,“科研”何以能“兴校”呢?

科研之所以能够兴校就在于:

首先,教育科研有助于明确办学思想和教育追求。办学思想是一所学校的灵魂,是一个方向问题。方向对了,路再远,也会有抵达的那一天。

其次,教育科研有助于用先进的教育思想凝聚人心,鼓舞士气,营造良好的育人氛围;“对于学校的领导,首先是教育思想的领导;其次才是行政的领导”。

再次,教育科研给予教师发展的空间和机会,有助于丰富教师工作的动机与明确努力的方向,从而使教师获得更快、更好的成长。

最后,在学校中,探索本身就具有教育的价值。因为探索带给人的是开放的心态、学习的需要、超越的意向和成长的渴望。

实践已经充分证明:教育科研是教师专业成熟的有效途径。那么依靠什么来推动学校的科研呢?无疑,教育实验是一个重要的途径。学校中,教育科研的真正价值不在于“发现规律,建构真理”,而在于将先进的教育思想、教育理念变为教师的自觉的教育理想与教育信念。

存在着一个较为普遍的现象就是:教育实验一实验就成功,一推广就失败。为什么会是这样呢?原因恐怕就在于:由于教育实验有明确指导思想,经过了充分论证、有足够的理论准备;在实验过程中,教师在先进的教育理论的武装下,自身素质得到了提高;学校有了明确的办学方向；给了教师、学生和家长积极的心理暗示；学校、教师和学生都有了更多的投入，等等。而教育实验推广的效果并不理想，就因为缺乏上述条件，简单地移植一些具体的做法，自然不能收到好的效果。这也说明通过开展教育实验培训教师的必要性与重要性。

以上四种教师专业成熟的途径最终都离不开教师的自我反思与自主发展的能力，因为教师自身才是教师专业发展的重要保证。教师的自我反思是指教师对各种教育观念、言论、教育方法、教育活动、教育事实和教育现象进行的自主判别和认真审视，特别是对自己的教学实践进行检视和反省；舍此，教师的专业成熟，教师的不断超越自我和发展自我，就将成为一句空话。

最后，我还想特别指出，教师的成长远远不仅是教师个人的事情，而是整个社会的事情。在道义上，我们每一个人都对教师的成长负有责任。因为，教育改革的第一个法则是："命令无法完成改革"(Fullan,1993 年)，任何教育改革都需要有新的技能、能力、热忱、动机、信念和洞见，只靠命令是不够的；教师不是技术员，没有人能令他改变，没有人能强迫他有不同的想法或发展新的技能。只有教师愿意，教育改革才有可能(欧用生，1999 年)。

28 教师的“六个学会”

教师在一个人成长历程中的重要性几乎是不言而喻的。假如一个人在他的学生时代曾经遇到过一个好老师，那么，他即使坏，也一定有限；相反，假如一个人在他的学生时代不曾遇到过一个好老师，那他的存在对于社会就可能是一个巨大的危险。

联合国教科文组织提出的21世纪教育的四大支柱是：学会认知、学会做事、学会共同生活、学会成为你自己。这是从培养年轻一代所应有的素质而言的。而作为教师，要能在新的历史条件下胜任自己的工作，就需要不断成长和发展。所以，广大教师，特别是优秀教师，需要做到“六个学会”：学会等待、学会分享、学会宽容、学会选择、学会合作、学会创新。只有当我们的教师具备了这些素质，人类才能拥有更加美好的未来。

学会等待，意味着教师能够用发展的眼光看待学生，意味着能够用从容的心态对待自己所做的工作：不急于求成，不心浮气躁，不指望一次活动、一次谈话，就能收到立竿见影的效果。因为一个好的品质的形成，一个不良品质的矫正，都不可能是一蹴而就的，而是一个长期的、曲折的过程；即使是一个概念，一个原理的掌握，也都很难一步到位，而是一个不断丰富、不断深化的过程,一个需要不断"温故知新"和"知新温故"的过程。

其实,从我们个人的生命历程来说,我们 90%的努力都是徒劳的,而正是这貌似徒劳的努力,使我们拥有9%的接近成功的机会,而正是这"9%的接近成功的机会",最终使得我们有 1%的取得成功的可能。

每一个人都有一个从幼稚走向成熟的过程。学会了等待的教师,一定永远不会对学生说"你不行"。教育是最能体现"一份耕耘,一份收获"的领域,只要我们付出真诚的努力,就一定会取得成效,尽管更多的时候不是那么直接,那么迅速。当我们学会用等待的心情看待学生时,我们就能对学生少一点苛责、少一点失望、少一点冷漠,而多一份理解、多一份信心、多一份亲切。

分享是双向的沟通、彼此的给予、共同的拥有。教育的过程其实也就是教师和学生一道共同分享人类千百年来创造的精神财富的过程,分享师生各自的生活经验和价值观的过程。分享,意味着教师更多的是展示,而不是灌输;是引领,而不是强制;是平等的给予,而不是居高临下的施舍。

学会分享,首先意味着学会倾听,学会走进儿童的内心世界,学会从儿童的眼光看待世界。高高在上的老师,怎能听到学生真情的呼唤?自以为是的学生,又如何听得进老师的肺腑之言?重要的是以心换心,彼此倾听。

其次,意味着努力创生一种新的分享方式和新的表达方式,因为分享方式和表达方式本身就蕴含教育的因素。

再次,意味着对于自我中心、自以为是、好为人师的倾向的自觉防范。

最后，学会分享是和学会欣赏别人高度相关的：欣赏别人其实就是真诚地去分享对方的闪光之处，它会带给我们非常单纯的满足、愉悦和欢乐。有人讲，我们不见得喜欢我们所赏识的人，但一定喜欢赏识我们的人。人同此心，心同此理，对别人表现出真诚的赞扬和欣赏会使我们的生活有更多的阳光、温馨和美丽。而当一个人在成长的历程中没有得到足够的关注、爱和欣赏时，一旦他拥有了权力，就更容易表现为自我中心、专制与独裁。

教育就是引领人们从狭隘走向广阔的过程。学会宽容，就是努力使自己变得胸襟开阔、气度恢宏，就是心智不那么闭锁，头脑不那么固执，思想不那么僵化，眼界不那么狭隘，就是尽可能地尊重多样性、珍视个性，尽可能地从多种角度看待事物，尽可能习惯"一个世界，多种声音"。

要做到如此这般，就必须不断地学习，领悟人类心灵的广袤与深邃，理解世界的多样与神奇，明了世事的无常与诡异。俗话说得好，"人心不同，各如其面"，由于每一个人的社会关系是千差万别的，每一个人的生活境况、生活道路也各不相同，世界在每一个人的眼中所呈现的样貌、所展示的色彩，也就不尽相同，因而每一个人对于同样的事情有不同的态度、不同的看法，就再正常不过了。使我们每一个人变得开朗、开放、开明，去创造一个宽厚、宽松、宽容的心理氛围，对于人的健康成长与和谐发展，对于我们宁静的心绪，对于我们的修身和养性，都是十分必要的。

一个崇尚个性的时代，也必定是一个崇尚合作的时代。因为一方面，个性使得合作成为必要与可能；另一方面，个性也只有在人与人的合作的关系之中才能得到健康发展。因此，学会合作就意味着对于不同、对于差异、对于另类，甚至是对于异端的尊重与接纳；意味着我们学会了"求大同，存小异"，学会了必要的妥协、退让、隐忍和放弃。

作为教师，需要很好地和校长合作，和同事合作，和学生合作，和家长合作。合作需要有善于沟通的品质和能力，需要有理智的判断和成熟的热情，需要有设身处地为他人着想的品质和推己及人的胸怀。

社会的加速发展，使人类的生存环境呈现出多变、多元、多彩、多险的飘忽迷离状态，平衡而单一的局面被打破，不确定性和可选择性同时增强。因而每个人或社会在求发展的同时，必须学会做选择。当成功与失败并存、机遇与陷阱同在时，正确的选择就成为走向成功、抓住机遇的十分重要的第一步。所以，我们可以用"注重选择"来概括这一时代精神。它意味着人类将通过选择来寻求适合自己发展的空间和途径，划一的、同步的、简单服从计划安排的发展模式不再被认为是天经地义的了。

衡量一个社会文明程度的一个重要尺度便是：看它在多大的程度上，多大的范围内，为个人自由全面的发展提供了可能性。这种可能性实质上就是人们对于自己的生存、发展和享受的方式的可选择性。社会的进步总是伴随着人们拥有愈来愈多的选择的机会和可能。学会选择就成了一个更加文明、人道、合理的时代人们必备的素质和能力。在一个变得越来越多样、丰富和便利的世界，人生的历程真正成为一个不断选择的过程。

民主化、个性化教育自然需要以教育的内容、教育的方式的可选择性为条件。而教师不是一个被动的被选择的对象，而应是一个引领学生进行积极选择的向导。因此，教师本人必须学会选择，学会选择教育的内容，选择教育的时机、教育的途径和方法。这就要求教师有非常丰富的积累，有高度的判断力和鉴赏力，如此才能有不俗的选择能力。

学会创新，意味着教师能够不断地探索以便改进自己的工作，不断尝试新的教学方式和教学风格，能够从不同的角度对那些习以为常、司空见惯、熟视无睹的事情作出新的解释，能够对那些理所当然、天经地义的事物抱以重新的审视，能够对那些似是而非、以讹传讹的种种说辞予以警示。

我们希望教师学会创新，是因为只有具有创新意识和创新能力的教师，才可能培养出具有创新意识和创新能力的学生。创新是一种心态，一种工作作风，一种人格特征。我们希望教师学会创新，并不是要教师能探索出对于整个人类来说都是新的认识、新的规律，而是希望教师通过自主探究，将古老的教育智慧变成自己的信念和教养，从而体现于自己的日常的、细微的教育行为之中。

具有创新意识的教师，也一定具有开放的头脑、进取的精神和探究的兴趣。而这些品质本身就是极其重要的教育力量、教育资源，是好教师重要的人格特征和内在资质。

“六个学会”是优质教育对教师的要求，是新世纪对教师的厚望，也是衡量教师专业成熟与否的标尺。

29 教育探索：从自我反思开始

作为教师，“教书育人”的过程只有同时是一个探索的过程，它才是真正意义上的教育过程。因为探索本身意味着你有一种开放的心态，你有进取的意识，你是一个好学深思的人，是一个不断超越自我的人，而不是一个墨守成规、固步自封、得过且过的人。当然，“不断探索”只是真正教育的必要条件，而不是充分条件。

作为教师，教育探索并不一定要有什么什么级别的研究课题，谁谁谁给你立了项，你才可以开始。如果你真是为了提高自己，为了更好地胜任你的工作，为了学生更好地成长，而不是因为外在功利的诱迫，那么，只要你愿意，在任何时候，任何条件下，都可进行。其实，在人类文明的各个领域，许多重要的思想成果都是在十分清贫的境遇中取得的。智慧和灵感总是青睐生活简朴的人。

许多的教育探索也并不需要高精尖的仪器与设备，它只需要一颗忠诚、明敏的心，只需要我们对那些视而不见、习以为常的事物进行批判性的审视，只需要我们对那些司空见惯、熟视无睹的事物用心去发现，只需要我们不断咀嚼、反复琢磨、再三玩味那些理所当然、天经地义的常规和说辞，只需要我们试图去改变那些貌似合理的历来如此、大多如此的想法与做法，哪怕是一点点。

比如,"教育"一词,我们都太熟悉不过了。而这个词所具有的丰富内涵,又有谁能悉数道来。从严格的意义上说,"上学"和"教育"是两个概念。因为"上学"可能意味着被摧残、被奴役、被束缚、被禁锢、被愚弄、被欺骗、被蒙蔽……而所有这一切都可以以"教育"的名义和"教育"的形式出现。难道不是这样吗?!

那么,什么是教育呢?这大概可以从认知和情意两个层面来判断,在认知这一层面上,教育包括:(1)经验的分享——意味着平等的给予和心灵的晤对,意味着对学生生活世界的关注;(2) 知识的建构——意味着发现知识的个人意义和将知识组织进意义网络之中;(3)心智的敞亮——意味着遭遇理智挑战,并进而获得认知上的冲突和洞见。

而从情意这一层面说,至少应包括:(1) 善的目的——所谓"善的目的"意味着"人的发展、个人的自由和个人的幸福",其本身就是目的,有着"独立的善"的价值,而不是因为"人的发展"有助于社会的和谐和进步才有其价值的;(2)"教育" 的方式是合乎道德的——它是基于对于具体的、独特的个人的尊重和珍视,不能因为我们的出发点是好的,我们就可以肆意对待学生;(3)"教育"的过程能带给学生积极的、愉快的情感体验(对"教育"列出一个"标准"是受黄向阳博士《德育原理》一书的启发,该书是较有深度的理论著作)。

这只是一个例证,用以说明教师的教育探索重要的是要有新的视界和探索的精神。那怎样才能有新的视界呢?我的回答是:学习,学习,再学习;以古典的心情对待学习,不要急功近利,不要心浮气躁;从错误中学习，在合作中学习，在探究中学习。

一个有事业心和使命感的教师，理当作为教育的探索者，其探索的最佳门径就是从自我反思开始。学校中的一切对于我们现代人，尤其是能够做教师的人，或很有可能成为教师的人(如师范院校的学生)来说，一点也不陌生，我们有许许多多的经历和体验，有许许多多的欢乐与痛苦，也有许许多多的渴望和企盼。正如一首歌所唱到的："每一个人都是一个完整的故事，每一个记忆都有未曾翻开的日历"，我们不妨想一想，在那些熟视无睹、习以为常、司空见惯的现象背后，是不是潜存着某种契机和可利用的资源，或者是潜伏的危险与可怕的毒化?这就需要我们通过反思，彰显那些被日常生活的琐屑和平庸给遮蔽了的事情的本真面目。

30 文化生态视域中的师生关系

师生关系是教育大厦得以建立的基石，理想的师生关系是良好教育的内在要求和当然要素。学校是人们的心灵相互接触的世界，真正的教育意味着人和人心灵上的最微妙的相互接触。“文化生态”这一观念包含着对多样性、差异性、独特性、个体性和自主性的尊重。

“文化生态”这一术语力图标志群体成员之间在精神、心理、情感、价值观以及行为等方面的互动关系。从文化生态学的意义上看来，班级是一个由教师和若干有着不同的家庭文化背景、所生活的社区文化背景、不同的性格、不同的气质的学生结合而成的文化生态组织。在这一组织中一般会产生群体动力这种生态现象。教室是班级授课和学生自学的场所。学生在校期间75%的时间是在教室度过的，教室便构成了一个“文化生态圈”，这个生态圈中的“文化生态”的优劣直接影响着师生的身心健康和教育效果。

在教室中，我们可以发现师生关系中常见的行为模式和文化—心理效应：权威关系、顺从行为、从众行为、暗示、模仿、感染、利他行为、侵犯行为、整饬自己的行为。在课堂中，可以观察到的行为还不止这些。而这些行为由不同个性、气质、知识水平和道德修养的教师与学生表现出来，其丰富性和多样性是不难想象的。

由于教育总是蕴含于细微的、日常的行为之中，教育活动就成了最能体现人与人关系的社会活动；任何虚假的、矫情的言辞和表演，都无法唤起真诚。布贝尔极其深刻地指出：师生关系本身既是人与人关系在教育领域中的体现，更是教师和学生作为人而存在和发展的独特方式，具有无可比拟的教育力量。师生关系的展开和师生交往过程，是学生获得人际体验技能和终生交往品质的重要源泉，也是学生建立价值系统的现实基础。师生关系是每一个个体所经历的一种非常重要的社会关系。从某种意义上说，教育的全部意蕴包含在师生关系中，教育过程甚至可以看做是师生关系形成和建立的动态过程。

从文化生态的观点看来，师生关系不只是一种单纯的私人关系，它具有公共领域中人际关系的特征。受布贝尔思想的影响，我国学者李瑾瑜对于师生关系的性质有着精当的表述：师生关系的核心，是把教师和学生看成是真正意义上的“人”，即师生之间只有价值的平等，而没有高低、强弱和尊卑之分。在理想的师生关系中，学生可以既作为人，又作为学习者积极地参与教学活动，也能在与教师的相互尊重、合作、信任中全面发展自己，获得成就与价值体验，并感受到人格的自主和尊严，也才能真正表现出自身的主体行为特征。在教育、在学校、在教室这个“文化生态”中，让每一个人都能感受到自主的尊严，感受到独特性存在的价值，感受到心灵成长的愉悦，这在很大程度上取决于师生关系的品质。

有的西方学者强调，在学校、在教室这个“文化生态圈”中教师角色应该被界定为“平等中的首席”,教室是一个观念的生态圈,教师是看守这个生态圈的管理员。教师不是外在于学生生活和教育情景,不是外在的专制者,而是内在于情景的领导者;教师应该把学生真正纳入到一种平等、理解、双向的师生关系之中。因为正如人们不难理解的,课堂上教师的微笑就像冬天里的一缕阳光,能给孩子们带来温暖。正如当代人本主义教育家罗杰斯所认为的那样,真正有意义的学习是建立在正确的人际关系、态度和素养上的。

教师是学生成长中的“重要他人”。师生关系的品质对于学生的精神成长有着极其重要的影响。在良好的师生关系中,学生作为独立自主的、有人格尊严的、发展着的、有着不可限量的人,积极地参与一切课内外教育活动,在与教师的相互尊重、合作、信任中全面发展自己,获得成就感与生命价值的体验;教师通过创造积极的师生关系,使学生获得人际关系的积极体验,引导学生的自由个性和健康人格的生成与确立。

如果说,班级是一个社群,那么教师便是班级中的社群领袖。任何群体都需要有领袖,领袖象征着权威和秩序,否则群体就会失去凝聚力,不能发挥群体的功能。教育社群中的领袖需要以智慧的力量和人格的力量去赢得人心,从而确立与维护权威。

但“教师中心”置学生于依附地位是对学生人格尊严的蔑视和自主性、独立性的践踏,它贬低学生的理智能力和创新精神,低估了学生自我管理和制定规则的能力;“教师中心”的师生关系只能用来造就奴才和顺民,而不利于培养富于批判精神的民主社会的建设者。因此,取而代之的应该是民主、平等、合作的师生关系;

其现实途径便是用交往和对话的精神重建师生关系。

在教室这一文化生态圈中，自由表达与自主探索应该得到充分的体现。让每个学生根据个人的意愿和节奏,选择适合个人兴趣和能力的活动,自由自在地学习和探索。通过建立合作气氛,提供互教互学、鼓励进步等途径把教育教学工作建立在师生合作的基础上，使学校成为一个既有民主生活,又有自我表达,既有相互协作,又有个人探索的独立空间。

31 教育试验的文化解读

我国新时期以来，正如有的学者指出的那样，教育实验蓬勃兴起和发展，无论是数量、规模、实验类型，都是我国历史上前所未有的；就其中某些方面而言，在世界教育史上也极其罕见。这一现象日益受到教育理论界广泛的重视。“科研兴校”已逐渐成为广大中小学领导和教师的共识。那么依靠什么来推动学校的科研呢？无疑，教育实验是一个重要的途径。但为使教育实验朝着健康的方向发展，如何正确地理解教育实验的性质和功能，就仍是一个有待认真思考和探索的理论问题。

人们一般认为，教育实验是教育科学研究活动，笔者认为这种观点一般来说也是不错的，但有失偏颇。教育实验是在教育活动中进行的，而教育本身就是一种价值引导的活动，教育实验理所当然更应该彰显价值引导，它作为探索活动应该是在这样一个前提和基础上才能得以确立。从文化生态的观念上看，作为探索、研究活动的教育实验都只有在完整地关注全体学生的全面成长的前提下进行，才是健康的、合符教育道德亦即教育人道主义的。

从某种意义上，我们完全可以说，教育实验是比较高级的教育实践，是教育主体性最为生动、具体的确证和表征。教育是一种文化活动，教育实验就更是一种复杂的、与社会文化有着共生关系的活动。教育实验有这样两个相互连接、相互规定的基本点，那就是教育活动与探索活动的统一。

教育活动体现着教育实验的价值导向和人文关怀，规定着、体现着教育实验的教育理想、教育信念和教育追求；探索活动则体现着教育实验的真理性、尝试性和审慎性。教育活动的属性使得作为探索活动的教育实验免于沦为仅仅作为手段与技术层面操作，而探索活动的属性使得作为教育活动的教育实验免于激情有余而理性不足，以致沦为盲日的、情绪化的、服务于教育外在价值的运动。

从事实际教育工作的教育实验的研究者和纯粹的教育实验的理论研究者都在不同程度上存在着“教育实验首先是一种教育活动，其次才是探索活动”这一理论盲区。而教育活动则是教育者的价值引导与学生自主建构的统一。

无视或是淡化、贬低教育实验的教育活动性质，有可能存在着以下危害：

首先，漠视受教育者的自主性、主动性，漠视影响受教育者成长的因素的多样性和复杂性。

其次，违反教育实验的教育性原则。教育性原则首先是人道主义原则，就是一切教育实验都必须无条件地有利于学生的成长与发展，而不能把学生，即使是少部分学生当成“白鼠”、当成“实验品”、当成达到任何目的(即使这种目的是崇高的、完善的、辉煌的)的工具，因为正义的原则、人道主义的原则禁绝一切为了少数人的利益而牺牲大多数人的利益，同时禁绝为了大多数人的利益而牺牲少数人甚至个别人的利益(少数人、个别人自主、自觉、自愿的奉献是另一个问题)。

再次,夸大教育实验的效度和信度。过分迷信统计数据,夸大教育实验的效度和信度,其后果只能是简化人的成长过程、简化教育活动的人文内涵。有实验者通过一两年的实验就声称取得了显著效果。尽管这种“声称”有着更为复杂的背景和原因,但看不到教育实验作为教育活动的复杂性与长期性、看不到教育活动与教育效果之间的微妙关系,是其重要的认识上的原因。

教育实验的指导思想不明确,未经充分论证、缺乏足够的理论准备就仓促上马, 这都与对教育实验作为教育活动的重要性认识不足有关。令人担心的是,轻率的、粗糙的教育实验与虚夸的、不严肃的对教育实验效果的宣称, 有可能真正泯灭第一线广大教育工作者对教育实验的热情和信任。

柒

完美的教学

WAN MEI DE JIAO XUE

32 教育永恒的支柱：历史与文学

教育是传承文明和接续历史的活动。教育的目的是为了扩大而不是控制学生的思想和精神。作为教育的内容，作为承载我们的心灵飞升的载体，历史与文学对于拓展我们的精神空间，丰富我们的内心感受，对抗我们精神的平庸和堕落，有着不可替代的价值。

历史的学习，是增进个体与整个人类的情感联系和熟悉人类经历的心路历程的桥梁和纽带。因为，“人是什么，只有历史才能告诉你”(狄尔泰)。在人类千百年的历史长河中，充满了刀光剑影、生离死别、血腥与暴力、眼泪与欢笑以及正义战胜邪恶、文明战胜野蛮的艰辛与曲折，一曲曲的喜剧、悲剧、闹剧竞相上演，异彩纷呈，令人目不暇接。这种丰富性其本身就有着极其重要的教育价值：世界原本就是丰富多样的存在，谁又有理由推行霸权与独裁？

历史既不是子虚乌有的过去，也不是凝固的实体性的存在。历史的丰富性、偶然性给了我们感受历史的体温、气息和色彩的畛域，给了我们尽情地展开想象的翅膀的广袤的空间，给了我们的心灵自由地舞蹈的宽阔舞台。在历史的荒原中，有我们可以发现的、能够深刻地校正我们观念的最为异己的文化，使我们获得对于我们自身所处状态的一种洞见，从而使我们自己获得应付陌生事物的信心。就是这样，我们一次又一次地从狭隘走向广阔。

“如果我们放弃历史，那么对历史的每一次超越就都成了幻觉。事实上，只有在这个世界之内，我们才能超越这个世界地生活。世界周围没有道路，历史周围没有道路，而只有一条穿越历史的道路。”(雅斯贝尔斯)要真正历史地把握过去，就要体验到时间异质而充实的内涵，在这个体验中唤醒我们深刻而丰富的记忆，从而进入历史。

我们只有通过记忆苏醒的瞬间才能进入历史；只有进入历史，才能真正历史地把握过去。面对历史，我们可以哭、可以笑；可以追思，也可以戏说；可以歌唱，也可以怒骂。历史给了我们宣泄情感、升华体验、深化认识的处所，这又何尝不是我们的祖先留给我们的一笔宝贵的财富?! 选为了使这笔财富充分地发挥它的作用，发挥它培植年轻一代的历史理性与人文关怀的价值，这就需要我们摒弃那种按照某种政治需要将历史涂抹成宣传工具的企图，摒弃那种将一种解释非法地晋升为惟一正确解释的企图。

这并非危言耸听的杞人忧天。据《历史与未来》披露：亚洲大部分国家都患了选择性健忘，历史教材被明显删节与肆意歪曲弄得千疮百孔。日本篡改历史教科书，美化其“二战”侵略史早已臭名远扬，而韩国那些斩手指抗议的青年又是否记得所学课本也极少涉及“慰安妇”的历史，印尼更加不会提到 1965 年苏哈托执政后那场 50 万人大屠杀，泰国、印度、柬埔寨也是这方面的“典范”。真不知道这些国家是否清楚历史是明镜，不让下一代人从完整的历史中学习与思考，又怎能期望他们能更好地建设未来呢？

文学是虚构的艺术，是想象的殿堂。无论什么时代，文学都是对于人类所面临的问题的象征性的解答，因此而成为生活的教科书；文学还是人类灵魂的守护神：文学之于读者，是精神得以寄托与憩息的殿堂；读者与文学，应该是走进这殿堂寻找自我的一个过程。

有作家说，小说是什么？小说是碰触人类伤口之后流出来的血。好的小说是过渡读者精神的桥梁，通过这样的桥梁，我们可以抵达广阔的精神彼岸，奔向崭新的精神天地。好的作家，会让不同的人在自己修筑的殿堂里找到恰当的座位，让每个人都心甘情愿地走进去流连忘返。想一想，古往今来有多少可以构筑这华美殿堂的超凡圣手。手捧他们的作品，读着读着，我们久已忘却的梦想和沉沦的激情也渐渐升起来了。想起安徒生，想起美人鱼，我们就不可避免地想起了爱与美，那是隐藏于日常生活中的智慧，它们像金子一样闪闪发光，使我们平凡的生命焕发出非凡的亮丽。

然而，我们有一种很令人沮丧的阅读习惯：人们会在不同的时代背景下，要求文学作品富有更多的社会意义，或者哲学意义，或者其他什么意义。这种功利性极强的阅读习惯由来已久，文学的艺术价值丧失了其独立存在的意义，文学沦落为宣传的工具。由于这种比较浅薄和恶劣的阅读习惯，导致我们的语文教学成为枯燥乏味的、模式化的流程。

在文学经典那里找到的可能是自己的形骸，也可能是一束思想、一点灵光、一把可以拾得起的记忆……莱昂内尔·特里林(Lionel Trilling)说："文学是教会我们人类多样性的范围与这种多样性之价值的惟一武器。"相信人生许多感悟，就在捧卷细读之时——感谢在一个阳光明媚的午后，茶烟轻扬，书香浮动，风尘仆仆的心灵终于可以回家了。抑或在那幽静的夜晚，我们守在小窗前，望着那灿烂的星空，憧憬着美妙的人生境界，吟咏着自己宽广而又温柔的心灵。久而久之，我们的身心都与那广阔的星空、美妙的境界融为了一体，实现着人生的超越。

我们倡扬人文教育，其目的并不在于熟识作品名称、文人姓氏，而在于引导学生迈进价值观念、学术思想的角斗场，竞才智之技，将学生引领到广袤的时空之中，感受博大、丰富、深邃。惟其如此，人文精神方有望养成，才能实现教育的真正价值。

让学生从历史中、从伟大人物的传记中、从文学作品中，去感悟生命的伟大，去感悟人性的美好，去感悟人生的创造之美、奋斗之美，去激发和推动他们追求比生活本身更高远的东西，这就是历史和文学的教育价值。正如有识之士所指出的："历史、文学、人物传记，并不是能更直接地参与世界的改造，但它却能唤起人们内心深处渴望改造世界的冲动和欲望，能唤起人之所以为人的自豪感受，能唤起一个人坚信自己内在的力量是无坚不摧的信念。"

教师通过历史与文学作品中的大量事例这一最丰富的资源来进行有关好与坏、对与错、正义与邪恶、文明与野蛮、真理与谬误的辨识、领悟，从而起到启迪智慧、陶冶情操、生成信念的作用。现代派诗人、著名文学史家闻一多先生宣称："一般人爱说唐诗，我却要说'诗唐'——懂得诗的唐朝，才能欣赏唐朝的诗。"历史与文学，在这里成为相互解读的依凭。还是孔德说得好：认识了人,就是认识了历史。而“对过去视而不见的人,对未来也将是盲目的”(德国前总统魏茨曼)。

随着历史的变迁, 作为教育的核心要素的课程,总会有所增加或者减少,但历史和文学,作为两大永恒的支柱将一如既往地支撑着教育大厦的巍然耸立。

33 教学：认知、交往与审美

有学者指出，20世纪90年代以来许多跨文化的智力测验证明，中国人的智力在全世界各民族中是最高的，能与中国人智力相提并论的只有犹太人和亚洲的一些民族。但是人们也发现，当中国的孩子们经过幼儿园、小学、中学、大学这条教育的“流水线”的“加工”之后，有些“产品”的质量却不如西方发达国家，为什么？就是因为当我们的学生在为考试得高分而拼命地算题、背书的时候，人家的学生却在那里高高兴兴地干着自己喜欢的事情，发展着他们的创造力、人际交往技能、语言表达能力、审美鉴赏力等等。笔者认为，之所以出现这种局面，与我们过去将教学过程片面地视为获取知识的认识过程不无关系。

个体的精神需要，可以概括为认知、交往和审美。教学，作为师生共在的精神生活过程，是认知、交往与审美交互作用、相互生成的过程。国际上把教育分为四个层面：知识教育、能力教育、创造教育、审美教育。任何一个层面的教育，都离不开认知、交往和审美的和谐统一。

认知过程无疑是教学过程的主要方面，这包括感知、理解、记忆、想象等等，是学生掌握概念、术语、原理、命题、公式、事实的心理过程。在许多教师的观念中，学生是嗷嗷待哺的婴儿，如果不喂给他（她）食物，他（她）

就可能会被饿死。所以,总是强调给学生“全面”“系统”的知识。这种观念仍然是与对主动学习的能力缺乏足够的信任相关的,这一观念存在的“合法性”也得到了整个教学制度的支持:课程与教学分离,考试与评价以基本知识的掌握为重点。

着眼于人的全面成长的教学过程就应该是一个由认知所主导的过程,但认知中有交往,也有审美;正如交往中一定有认知和审美,审美中有认知和交往一样,三者你中有我,我中有你,相互渗透,相互生成,共同构成富有生机与活力的教学过程。

在教学中交往具有意义的自足性。它源于人的精神需要。发展不是外在于交往过程的一个目的,它存在于交往过程之中。交往的根本意义不在于获得某种认识论意义的“主体间性”,而在于展示、发现和发展自我,在交往中获得个人的完整性和全面发展。

一般来说,每一个个体的一生都是在交往中度过的。人类世代积累的知识经验可以凝聚在物质财富和精神财富之中,但每一个个体掌握知识经验却是在与人类知识经验活的载体——成人的直接交往中开始的。

交往是一切有效教学的必需的要素。任何先进的传播媒介之所以不能取代教师,其中一个重要原因就因为教师能创造富有情感的氛围,而富有情意的氛围与师生之间、学生之间的交往有着共生关系,即富有情感的氛围既是交往的条件,也是交往的产物。强调交往在教学中的意义,也将有助于更新教师的教学观念:对教师而言,上课是与人的交往,而不单纯是劳作;是艺术创造,而不仅仅是教授;是生命活动和自我实现的方式,而不是无谓的牺牲和时光的耗费;是自我发现和探索真理的过程，而不是简单地展示结论。因为只有的的确确地交流了，我们才能设身处地为他人着想，我们才真正地理解和尊重对方。

教学过程不仅是一个认知和交往的过程，还是一个审美的过程，其审美对象，不仅包括人类的智慧之美——科学美与艺术美，也包括人性之美和教师的人格之美。从某种意义上说，一台戏也好，一堂课也罢，都不能孤立地看做是一次单纯的职业行为。因为任何职业都是受制于人的因素的，其中就包括人的敬业精神、从业态度等等。一个教师，其实也是社会舞台上的一个“角色”，他在讲台上讲课，更是在社会舞台上“做人”。教师的一言一行，都是在向学生乃至社会展示着自己的人格品位。

教学过程的审美特性体现于具有理智挑战的认知过程中，体现于师生平等、融洽、和谐的交往之中，体现于师生的心灵晤对中，体现于充满愉悦和成功的生活体验之中。而在我们的教育中，苛严的规训和强制纪律仍然司空见惯，人们对它也熟视无睹、习以为常。这大概就因为严厉的管束在中国是一个古老的传统。很多的人喜欢它，很多的人认为它是最省事的、甚至是惟一可行的措施与手段。

日积月累的重复训练，完全抑制阻塞了一个孩子自由想象的空间。他们习惯了把内心和个性完全隐蔽起来。其实，在学校教育中，学生的创造力是在集体中表现出来的，没有自由、安全、愉悦的集体气氛便不能培养最佳创造力。

从根本上把传统课堂教学沉闷的“呈现—接受”模式变为生动的“引导—发现”模式，“在引导下的发现”和

“在发现中的引导”，充分展现出课堂教学动态生成性的格局，焕发出蓬蓬勃勃、生生不息的生命活力，应该成为我们教学改革的方向。

只有将教学过程统一于认知、交往和审美，作为学校中心工作的教学，才能担当如此重任，才能使教学过程成为磨炼意志、升华思想、陶冶情性、净化心灵、沐浴灵府的过程。

34 教学要达到怎样的目标

教学，作为学校教育的主要途径和形式，作为学校的中心工作，作为一个特殊的社会实践活动，无疑应该有自己的目标。教学目标不能简单地等同于教育目标，尽管二者有着极其密切的联系。教学目标应该是一个多层次的序列：一节课的目标、一个教学单元的目标、一门课程的目标和作为学校教育中心工作的目标。而这些目标都必须自觉地指向我们教育的人的培养目标，使其成为实现教育目标的一个步骤而存在。

"教学"是指由教师所引起、维持或促进的学生学习的所有行为。它的逻辑必要条件主要有四个方面：一是引起学生学习的意向，唤醒学生的学习需要——学习动机的培养与激发是两个不同的概念：动机培养是使学生把社会和教育的要求变为自己的内在的学习需要的过程；而激发则是侧重把已形成的学习需要调动起来，以提高学习的积极性。培养是激发的前提，而激发又必然会进一步加强已有的学习动机。动机的培养应着重于兴趣和求知欲的培养。

二是与学生就教学所要达到的目标达成共识。首先，这个目标是自觉指向教育的最高目标的，即教育所要培养的人——完整的人；其次，这个目标是高于学生已有水平而又是学生通过努力可以达到的。通过师生间的沟通与交流，让学生明确每节课的具体目的和知识的具体意义。

三是规划学习领域和提供必要的课程资源，包括提示或展示学生所需要学的内容：内容是认知、情感、态度与技能的载体，也是学生与教师精神生活的刺激物，是师生对话的平台。

四是采用便于学生理解的、最能调动学生主动性的方式，在今天特别应该提倡合作学习和探究学习，并使所有的学习都能提升到自主学习的水平。创设问题情境，营造敢于质疑问难的学习气氛，利用学习结果的反馈作用，激起学生的求知欲和学习的积极性。如果教学活动不具备这些条件，即使教师教得十分辛苦，也不能称之为真正的教学。

从一节好课的标准来看，教师设置确当的教学目标并始终明了这一目标对于整个教学的统率作用，是取得良好的教学效果的关键因素。

"每一时代的理论思维，从而我们时代的理论思维都是一种历史的产物，在不同的时代具有非常不同的形式，并因而具有非常不同的内容。"(马克思)今天学校的教学目标，作为"一种历史的产物"，是当代社会文化发展水平及其趋势要求的反映，概括起来讲，有以下几点：

(一)培养学生健康、丰富的个性。个性，即个体的整个精神世界，其核心内容是主体性与创造性。高校教学之所以要把培养学生健康、丰富的个性作为首要目标，原因就在于：个体的主体性是个人生活的灵魂，没有个体的主体性，就谈不上自我选择。而自我选择是个人价值的自我确证(有选择才有自主的尊严)，是个人自由因而也是社会自由的保证。因为自由首先意味着责任。一个由无自我责任能力的个体组成的社会只能导致社会的无序或专制主义。因此,个体主体性的发展是健全、公正、民主的社会建立的基石。任何个人,不论他在社会中扮演什么角色,首先是生活的主体。而生活的真谛就是自我选择。教育作为社会大系统的一个子系统,良好的教育的教学目标无疑应该促进受教育者个性主体性的发展。

个性既是教学的首要目标,也是教学动力的巨大源泉。只有调动学生整个精神世界的驱动力,教学才可能摆脱外在力量的诱迫而成为内在的追求,摆脱整个教育追求"外部报偿"的弊病,从而避免损害对教育真正价值的追求。教学也只有以发展个性为目标,任何教学动力措施才能摆脱手段的局限而获得合规律性与合目的性的统一。

前苏联合作教育学派的学者认为,教育的人道主义要求我们使下一代确立新的学习动机,使他们从学习的内部获得推动力。为此,我们必须使学生乐学、感到获得成功、进步和发展的快乐。这里的关键问题就在于建立起合作的师生关系,这只能是由教师在与儿童的交往中产生,而交往则必须从儿童的个性出发。因为儿童有自己的感性和情感世界,他同教师一样懂得失败的痛苦和成功的喜悦,所以教学必须让他们时时体验到他们的个性所受到的尊重,以及教师对他们的关怀。只有合作的师生关系氛围,才能带来学习的快乐和成功,使儿童热爱思考并且善于思考。

近年来,呼声日渐高涨的教育的人道化无非就是要求彻底实现整个教育过程的个性化和人格化,要求将学生的个性发展作为教育过程的基本目标。学生个性发展的尺度，成为衡量教师、学校及整个教育系统工作质量的尺度。

(二)切入并丰富学生的经验系统，实现知识向智慧的转化。经验，即个体在生活境遇中的种种经历及其体验，是个体精神生活的巨大源泉，也是间接知识转化为个体精神财富的中介，是构成个体认知结构的重要因素。而经验是活动的产物。我们这里所指的活动，是指由外部行为动作构成的主体与客观世界相互作用的过程，是个体意识能动性和个性能动性的高级表现形式。活动的本质特征是个体的主动参与。活动过程是活动主体的个性创造力双向对象化的过程——一方面，通过活动，个体的创造力、潜能、天赋、审美鉴赏力、个性等得以表征、凝固在活动过程中和活动结果上；另一方面，通过活动，又丰富着、发展着个体的个性潜能、资质和素养。人们发现，单纯的系统讲授教学效果并不理想。

现代教学模式论认为，“教学就是环境的创造”。这是一个十分有意义的观点。创造一个有利于培养学生健康、丰富个性的环境，强调教学中师生的民主、平等、友善与合作，把教学过程视为学生的个性发展与完善过程，在教与学的过程中处理学生成长与发展的全面问题，是教学中实现培养学生健康、丰富个性这一首要目标的基本条件。

因为任何人的成长和发展都是在一定的时空中、一定的情境中、一定的过程中实现的。正如教育心理学家林格伦(H.C.Lindgren)所指出的：“人有一种使自己成为有能力和有效力的持续的内驱力；能力和效力主要是学习的结果;能力发展有赖于学习,而这种学习是被环境中所察觉到的变化激起的。”知识,首先是一种过程,而不仅仅是一种结果。布鲁纳曾强调指出:“人唯有凭藉解决问题或发现问题的努力才能学到真正的发现的方法。这种实践愈积累,就愈能将自己学到的东西概括为解决问题和探究问题的方式,掌握这种概括的方式,对他解决各种各样的问题是有效的。”可见,创设轻松愉快、生动活泼的教学情境与重视教学过程的探索性二者是内在地统一的。良好的教学过程应该是充满智力挑战、怡人性情、益人心智、变化气质、滋养人生的精神漫游。而只有这样的教学过程,才有益于个体精神世界的丰富、个性和创造力的培养。

我们知道,在教学中,要使学生对教师所教授的知识、理论、思想产生“共鸣”,需要有这样一些条件:它们能够通过逻辑防线、情感防线和伦理防线并能达到“最近发展区”。也就是说,这些知识不仅是可以接受的,而且是学生个体认识中前沿性的问题,这样,教学过程中才会出现“内心的敞亮”,才会有“茅塞顿开、豁然开朗”这样一种认识过程中的飞跃。孔子讲“不愤不启,不悱不发”,就是讲教学要有一个合适的时机,没有好的时机,就没有好的效果,但时机是可以创造的。皮亚杰曾指出:“卡尔·马克思一个根本的社会学命题就是:人为了生产而作用于自然界,但同时也受自然法则所制约。在对象的特性和人类的生产之间这种相互作用也在认知心理学中为我们所发现。我们只有作用于对象并改变它时,我们才认知对象。”可见,通过活动可以创造时机。

(三)帮助学生建构人类知识的完整图景,促进智慧能力的全面发展。人类知识本身是一个有机的整体。在狭隘的学科观念背景下,过分地局限于本学科知识与内容的讲授,不仅会禁锢教师自身思想的自由驰骋,也不利于我们培养视野开阔、才思敏捷、具有雄浑浩博的哲学气质的人才。任何一门学科的学习,都应该将其放在人类文化广阔的知识背景之中,从而建构出人类知识的完整图像,使所学知识融会贯通、触类旁通、举一反三。

为了适应科学技术发展的整体化趋势,国际教育界普遍强调对学生进行博才教育。如美国提倡在重视基础理论的同时,对学生进行"百科全书式"的教育;日本提出要改变过去那种专业科目繁多、划分过细的"纵向深入型"的培养方法,决定培养"世界上通用的日本人"。而对学生进行博才教育,单纯依靠广开课程显然是有局限性的,而必须同时依靠课程的综合化、设定教学的跨学科目标等途径来实现。着眼于单一学科所要达到的目标,而忽视了跨学科的目标,这样的教学目标就缺乏系统化或结构化,不仅不利于帮助学生形成有机的、完整的人类知识的图景, 而且还会肢解完整的精神生产过程,导致智慧能力的片面、畸型发展。

"软化或者排除僵死的科目界限" 与传统的教学科目相比,每门学科的界限被软化,强调相互衔接。例如,在物理、生物和技术系统中都讲能量转换;在恒星、有机体和社会中都出现演变问题。"概念是人类思维的基本构成,那些同一个学生如何看待这个世界没有多重联系的概念不可能记住或有用。""当概念融合在各种背景之中并以各种方式来表达时,最容易掌握。"这种学习更多的是为了掌握认识的手段,而不是获得经过分类的系统化知识。既可将其视为一种人生手段,也可将其视为一种人生目标。作为手段,它应使每个人学会了解他周围的世界,至少是使他能够有尊严地生活,能够发展自己的专业能力和进行交往。作为目的,其基础是乐于理解、认识和发现。

课程的综合化要求教师有广博精深的科学素养,有一种居高临下看待复杂问题的能力。而课程综合化的有效途径之一便是以课题研究来促进课程建设。

我们的教学以人的培养为目标,只有使我们的受教育者感受到一种个性成长的需要和心灵成长的力量,我们的教学才真正找到了调动学生学习积极性的源泉,才真正找到了教学过程得以深化和拓展的强大动力。知识、能力、个性,这三者就统一在能力是知识的个性化这一点上。离开了知识和能力,个性就成了空洞之物。而知识只有主体化、个性化,才有生命力。否则,正如假牙、假发一样,仍旧是没有生命力的东西,仍旧是身外之物。

(四)提高学生的需要层次。任何人的意志行为都是由一定的需要所驱使的。而需要是有层次的。高级需要的出现往往以低级需要的满足为条件。这是问题的一个方面。问题的另一方面是,高级需要一旦产生,就可以改组、压倒低级需要。如吃是属于低级需要,但对于具有高级需要和不具有高级需要的人来说,同属于"吃"的含义是不一样的:前者吃是为了活着,而后者仿佛活着就是为了吃。

行为满足自身的需要不一定就是损人利己的。在人格发展的高层次,利己和利他是统一的,而只有在人格发展的低层次,利己和利他才是对立的。杀身成仁、舍生取义,就是具有高级需要的人所作出的意志行为。在这里,“成仁”、“取义”的需要压倒了肉体生存的需要,满足了主体的高级需要,利己与利他达到了统一。

把教学过程单纯视为知识传授的过程或最好的情况下把教学过程视为知识传授加能力培养的过程,在我们今天的教师队伍中是大有人在的。比较先进的教育理念应该是把教学过程视为:知识的建构+情感丰富、细腻和纯化+态度与价值观的形成和完善以及思想的升华+智慧能力的培养,特别是学习策略和思考策略的培养+健康丰富个性形成的过程。换言之,是教师展示自己丰富、独特、完美的个性的过程(是自然的展示,而不是炫耀或卖弄);是教师藉此以充分调动学生整个个性的内在力量来促进、深化、拓展教与学的过程(如优秀的教学是学生的强大动力,是学生整个学习的中心,学生的整个学习以至生活都有可能成为教学的持续与拓展);是师生之间独特的社会生活体验的过程;是师生,尤其是学生全面成长,特别是精神世界丰富、纯洁、深邃的过程;是学生在教师引导下日益丰富和深刻地参与与有教养的人类进行对话的过程。因为人只能由人来建树,性格只能由性格来塑造,人格只能由人格来培养。

我们的教学以人的培养为目标,只有使我们的受教育者感受到一种个性成长的需要和心灵成长的力量,我们的教学才真正找到了调动学生学习积极性的源泉,才真正找到了教学过程得以深化和拓展的强大动力。知识、能力、个性,这三者就统一在能力是知识的个性化这一点上。离开了知识和能力,个性就成了空洞之物。而知识只有主体化、个性化,才有生命力。否则,正如假牙、假发一样,仍旧是没有生命力的东西,仍旧是身外之物。

从历史唯物主义的观点看,人们需要的出现及其满足，是由社会发展的水平决定的，但教育作为一种价值引导工作，具有提高人的需要层次的功能。提高人的需要层次，促进受教育者人格的完善，是教育的重要使命之一，也是教育促进社会文明进步的着力点。学校教学应该着力培养学生理智的好奇心，关心人类命运，有益于社会、有益于人类的胸臆与襟怀，使受教育者在促进人类文明进步中实现自身的价值。

(一)培养学生健康丰富的个性，(二)切入并丰富学生的经验系统，(三)帮助学生建构人类知识的完整图景，(四)提高学生的需要层次，这一教学的目标体系，是针对教学应该具有的共同追求提出来的。不同内容、不同性质的学科的教学，应该据此提出自己更为具体的教学目标。另外，这些目标都不应该是孤立存在的，而是一个有机的整体。只强调某一类型或层次的目标，或者仅仅着眼于单一学科所要达到的目标，而忽视了教学的整体性目标，致使学校教学目标缺乏系统化和结构化，必然会影响教学效果。

35 追求教学的最佳效果

关于教学，孔子有一则非常经典的表述:“不愤不启,不悱不发,举一隅不以三隅返,则不复也。”(《论语·述而》)中国古代的教育智慧在这里得到了最凝练的确证与表征。

这实际上涉及到教学的四个最基本的要素：教学的内容——“一”。所谓“一”就是具有广泛迁移性的、能创造知识的、“含金量”较高的那些知识。全世界一流的教育家都在寻找这个“一”,克纳夫基和根舍因的“范例教学”就是显例。之所以要寻找这个“一”,首先是因为学生“学到的观念,越是基本,几乎归结为定义,则它对新问题的适应性就越宽广”;其次是正如庄子有言:“吾生也有涯,而知也无涯;以有涯随无涯,殆矣。”(《庄子·养生主》)“有涯”与“无涯”之间的矛盾是古已有之,在今天,这个矛盾是愈益尖锐。知识总量的激增,进行新的创造所需要的知识基准愈益增高，尽管我们在不断地延长人们的受教育年限,但毕竟不可能无限的延长,因为生命本身是有限的。对于这个“一”的寻找,今天是愈益显得迫切了，这对我们的课程改革提出了持续不断、无可回避的挑战。

二是教学的时机。所谓“愤”,就是指人们在苦苦思索而未果的状态。而“悱”则是想表达而又力不从心、言不及义时的状态;这样的时机标志着学生对于探索性的教学过程的积极参与：不是现成结论的简单展示，而是从“存疑”到“释疑”并在新的基础上“生疑”的过程;这样的时机正是有效的教学必须努力营造并积极捕捉的。

三是教学的原则和方法,那就是启和发:个人的成长经常表现为内心的敞亮，表现为茅塞顿开、豁然开朗、悠然心会;启发,即为心智的开启、思想的祛蔽、潜能的显发。今天我们谈“启发”,就不能不注意到理性霸权和教师权威在知识教育中的消极作用。理性霸权所孵化的知识暴力,挤压着我们的心理空间和精神空间;对知识的膜拜,压抑甚至泯灭着我们的创造力。在课堂上,学生隽逸奔突的才情、明睿深刻的洞察,由于来自教师权威的压力使得学生缺乏对自我足够的自信而不能得以张扬和生发。为了在教学方法上适应创新教育的要求,布鲁纳的“发现学习”和施瓦布的“探究教学”值得认真借鉴。

四是效果；如何使每一个学生在原有的基础上获得最大程度的发展,这是全部教育智慧的灵魂。当然,究竟“效果”意味着什么,首先是一个价值判断,其次才是一个事实判断。在我们今天看来,良好的教学“效果”自然包括探索精神、创新精神的唤醒与弘扬,创新能力的发展和提升,创造型人格的生成与确立。

英国诗人艾略特(T.S.Eliot,1888—1965 年)在其名诗《岩石》中有这样一句发人深省的诗句:“在信息中,我们的知识哪里去了？在知识中，我们的智慧哪里去了?”诗人大概是对信息激增时代信息无所不在所发的慨叹。而它可以引发我们作这样的思考:在教学中,如何实现由信息向知识的转化？又如何实现由知识向智慧的转化？

我们知道，在教学中，要使学生对教师所教授的知识产生“共鸣”，需要有这样一些条件：它们能够通过逻辑防线、情感防线和伦理防线并能达到“最近发展区”。也就是说，这些知识不仅是可以通过努力理解的，而且是学生个体认识中前沿性的问题。这样，教学过程中才会出现“内心的敞亮”，才会有“茅塞顿开、豁然开朗”这样一种认识过程中的飞跃。这就要求我们：一方面即使是基础知识的教学，也应站在学科发展的前沿反观基础、改造基础、重建基础，以便更准确地把握那个“一”；另一方面，在教学的梯度上，在教学的适切性上，要把握好分寸。

36 完美的教学

在我看来，完美的教学必定有两个不可或缺的要件,那就是深刻与真诚。

所谓“深刻”意味着能够给予学生匠心独运、别一洞天之感,能够唤起学生的惊异感和想象力,能够使学生茅塞顿开、豁然开朗。当然,所谓“深刻”,总是相对的。这首先需要教师对教学对象有充分的了解,使教学的目标是学生通过努力可以达到的，引领学生探索和思考的问题是处于学生的“最近发展区”的。

而所谓“真诚”,意味着师生之间坦诚率直,彼此都尽情地表露瞬间的感情和态度；意味着教师的一言一行都是出自内心真实的感受，所表达的一切都是从心灵深处流溢出来的切肤之感，没有矫揉造作、故作姿态,没有“为赋新词强说愁”的无奈与空洞,有着自然、真切与和谐之美。实践证明,一个教师若能以真诚的自我对待学生,坦率地表达自己的真实思想、情感,真诚地承认自己的缺点和不足,做到言行一致,表里如一,学生就会敞开心扉，向教师说出自己真实的思想和感受,真正做到心心相印。师生之间这种以诚相待,彼此不断地进行多方面、深层次的沟通和交流,是建立良好师生关系的基础，从而也是使教学生机勃勃地开展的前提。只有充满真诚的教学,才能给人以温暖的感觉，才能有感染力与亲和力。

这里所说的深刻与真诚首先必定体现于教师对于一节课所要完成的任务和所要达到的教学目标的设定之中。每一节课都应该有其独特的任务和要实现的目标，但这种独特性正是存在于朝向一个高远的目标——我们要培养的理想的人——并成为实现这个崇高目标的一个步骤而存在。所以，教师必须对自己的教学目标有十分确当的设定和十分的清晰认识。

深刻与真诚更体现于教学内容的选择与组织之中。只有当教师对他所教授的内容融会贯通、如同己出、烂熟于心、了如指掌，才能得心应手、左右逢源，才能顺手拈来，皆成妙趣(谛)，才会有那样一种拥有真理、“一览众山小”的沉着与自信；教师的教学对于学生来说，也就才会有理智的挑战、内心的震撼，以及触及心灵的影响。常言道，从水管里流出来的是水，从血管里流出来的是血。只有当教师讲授的内容是教师可以娓娓道来、如数家珍时，讲课才真正可以称之为“讲”；而只有真正地“讲”，教师才能把在课堂上的注意力集中在与学生的思想和情感的交流方面；只有真正交流了，才能给予学生广博的文化浸染，教学才能切入学生的经验系统，课堂生活才成为师生共在的生活。

深刻与真诚还体现于教学氛围的营造和教学方法的运用之中。完美的教学，在性质上应是富有想象力的，能唤起人们意外与惊讶的感觉，给身临其境者一种认识能力上的解放感；完美的教学犹如一篇优美的散文诗，它具有起、承、转、合的韵味，具有曲径通幽、起伏跌宕、峰回路转的魅力；它是一种精神漫游，教师收放自如，学生心领神会，既有纵横捭阖的豪放，又有细处

摄神的精致。正如孟子所言:"言近而指远者,善言也。守约而施博者,善道也。"(《孟子·尽心下》)

完美的教学一定会使学生"学有所获",甚至是有喜出望外的收获。当然,我们不能对"课堂上的收获"作狭隘的理解,收获不仅包括认知的:概念、定义、原理(公理、定理)、公式、基本事实等等的掌握以及认知策略的完善,也应包括态度、价值观的改变、丰富与提升,所经受到的理智的挑战和内心的震撼,所获得的感动和鼓舞,以及精神的陶冶和心灵的净化,等等。一言以蔽之,完美的教学能够唤醒沉睡的潜能,激活封存的记忆,开启幽闭的心智,放飞囚禁的情愫。

我们教师总是容易低估学生的理智判断力和鉴赏力,而疏于精心设难问疑,使教师的内心世界深邃、教学应有的深度难以有效地得到充分的体现,因而就少了些许理智的挑战性和教学的活力;我们也必须承认,人的心灵有一种微妙、精敏的感受力,任何虚假、矫情和做作都无法唤起真诚,我们只有努力使我们的内心变得明敏、丰富和深邃,舍此,别无它途。

完美的教学一定能让学生感受到人性之美、人伦之美、人道之美;感受到理性之美、科学之美、智慧之美;感受到人类心灵的博大与深邃;感受到人类所创造的文化的灿烂与辉煌;能够唤起学生对于生活的热爱与柔情;唤起学生对未来生活的热烈憧憬和乐观、光明、正直的期待;能够以新的眼光审视生活、洞察人性物理。

37 从教学模式到教学艺术

近年来，随着教学思想的转变，教学改革和教学实验对多样化教学模式的探讨日趋活跃，在中小学教学实践中出现了各种新的教学模式的试验研究，取得了令人瞩目的成就，如自学—指导模式、目标—导控模式、问题—探究模式、情—知互促模式等等都已具有较大的社会影响。

教学模式既是教学理论的具体化，又是教学经验的一种系统概括。由于它有着较为稳定的教学活动结构框架和活动程序，特别是相对教学论中有关过程或“本质”的一般阐释而言，教学模式更易于理解、把握和运用，因而对于推广和普及先进的教学理论与教学经验具有重要的价值。由赫尔巴特原创的、曾风行于世界的“明了~联想~系统~方法”的“四段教学法”，杜威提出的“暗示~问题~假设~推理~验证”的“五段教学法”，都是教育史上有着重要影响的教学模式。

所有的模式都具有简略性。人们不必要也不可能将现实的教学情境完完全全地复演出来，因而教学模式只能根据一定的教学理论，在对实际问题(教学活动)提出假说的基础上，针对实际问题的解决步骤进行模拟或仿造；只能抽取某一类型的教学程序的主要因素，并将之组合。正因为如此，模式才成其为模式，并富有重要意义。因为“没有与模型的抽象性有关的简化，就不可能从构建模型中获得任何东西”。可见，没有简略性，就没有模式。在这里，简略性是以一定程度的抽象性为条件的，它使模式高于实践，为指导具体的教学实践活动服务。

研究与开发教学模式是丰富和发展教学理论的重要措施，也有利于将教学理论应用于教学实践。教学模式对于初上讲台的年轻教师和文化教育相对落后地区的广大教师有着直接的参考价值和借鉴意义。教学模式对于他们来说，具有“行为指南”的作用；就像练习武术，首先得熟悉武术的套路，从一招一式开始，当对这些招式掌握得十分娴熟以后，才会有个性化的东西，渐渐地才能达到出神入化、左右逢源、游刃有余的境界。因此，开发和推广各种各样的有良好教学效果的教学模式仍是十分必要的。

任何事物往往都具有两面性，优点和缺点总是胶结在一起。教学模式也不例外。教学所依存的条件是十分多样和微妙的，因而具体的教学情境千差万别。正如我们经常说的，没有完全相同的两个学生，也没有完全相同的两节课。尽管任何教学模式都有明确的应用目的或中心领域，而且有具体的应用条件和范围，有一定的针对性，但“模式”只能是“模式”，它有着天然的局限性。

教学模式的天然的局限性依靠什么来超越呢？我们的答案是教学艺术。教学艺术是凝聚、融合了教育机智在内的、针对具体的教学情境对教学模式的创造性的运用，是教师高度驾驭纷繁复杂的教学“变数”的能力的综合体现。如果说，教学研究者可以为教师提供有实践价值的教学模式的话，教学艺术就只能是教师自主性的创造的成果。

教学艺术是教师教学主体性和创造性的最好确证,没有对教学模式的创造性运用,教师的上课就容易成为“教教案”、“教教材”,而不是“教学生”,教学就难以避免封闭性、机械性、刻板与程式化,就难以避免教师唱独角戏和教师中心，就不可能顾及到学生独特的生命表现和学生提出的非常个性化的问题；学生在课堂上丰富的精神生活、自主交往和个性展示就都受到很大的局限。

教师教学艺术创生的能力，取决于教学经验的丰富程度,取决于对教学模式驾驭的娴熟程度,更取决于教师的资质和精神修养，这就是人们常说的“运用之妙,存乎一心”——假如你是一个内心世界非常丰富的人,一个富有爱心和教养的人,一个富有想象力和创造性的人,一个能够唤起人们对生活的热爱与柔情的人,一个能够“学而不厌,诲人不倦”的人,那么,你不仅可以成为一个优秀的教师，你也一定能胜任许多其他的工作。相反,假如你是一个内心世界苍白和贫乏的,一个麻木和粗俗不堪的人,一个平庸和委琐的人,一个不学无术的人,那么,你不仅不会是一个合格的教师,你所能胜任的工作恐怕是少之又少。

从丰富、具体的教学实践到抽象、简约的教学模式的生成,再到对十分个性化的教学艺术的呼唤与青睐,反映了人们对教学活动——这一人类重要的存在方式和活动领域——认识的深入,是人类认识“从具体到抽象,再从抽象到具体”这一过程的生动体现。

大学教学给我们的启示

过去，我们更多地注意到中小学教学与大学教学之间的差异，而对它们之间的联系、共同点缺乏应有的认识。对于中小学教学，我们一般强调它的系统性、科学性、规范性、基础性，这固然有它的合理性，但强调它的开放性、探索性、个体性、前沿性，也是十分必要的。如果只强调前者，而无视后者，就极易导致教学的封闭、僵化，缺乏灵活性、创造性和想象力。而后者正是良好的大学教学的基本特征。

良好的大学教学一般具有以下特征：能够给予学生以广博深厚的文化浸染；能够真切地关照学生的生活世界；重视教学过程，特别是其探索性；教师的讲授具有鲜明的方法论意识。现依次详论如下：

大学教育区别于职业培训的地方就在于它的教育影响应该具有全面性：全面地关照人的成长与发展。我们的教学能够给予学生以广博深厚的文化浸染是全面地关照人的成长与发展的现实途径。我们的教学之所以要善于营造一种精神氛围，一种追求真理、崇尚学问的精神氛围，让学生在这样一种精神氛围之中接受文化的熏染，是因为真正的教育、关注人的成长和发展的教育其本身就是一个“文化—心理”过程。

培养具有健康、丰富、和谐的个性的人，作为教学的首要追求,重视给予学生以广博深厚的文化浸染,应该是所有教学,包括中小学教学的重要特征。实际上,如果只重视教育目的上的外在价值取向,那么受教育者就易成为工具,而不能自主地、积极地发展和完善自己的精神世界。

“生活世界”是当代西方哲学的一个基本概念。在哈贝马斯看来,生活世界就是“创造性活动的可能场所”。学生的生活世界是指学生当下的生活,得以展开的背景和种种可能性。过去我们多强调“社会”与“社会关系”,而现在我们多强调“生活”与“生活世界”,这一话语转换意味着对个体主体地位的确认和个人独特性的珍视。

如果说,生活指的是生命的存在状态,那么,生活世界指的便是生活实有与应有的畛域。人生活在世界中,世界是人的根基。人与世界的关系是生活关系,人在世界中展开人的思想与言行,展开人的生命与人生历程,与个人实际生活发生真实“牵涉”的世界的总和构成人的“生活世界”。由此观之,教育都是在人的“生活世界”之中进行的,都超不出“生活世界”的畛域,教育活动和人在教育中的生活都是属于“生活世界”的,“生活世界”是教育的根基,是教育之所以能够促进学生个体多种品质生成的奥妙蕴藏的处所。

为什么教育要关注学生的生活世界呢?只有关注学生的生活世界,社会生活中的价值冲突和学生内心的价值冲突在其成长发展中的作用才能进入教育者的视野,才可能去发掘其教育价值。学生主体性人格的生成和确立的现实基础只能是其生活世界,舍此,任何教育都只是外在化的装饰。

把教学过程单纯视为知识传授的过程或最好的情况下把教学过程视为知识传授加能力培养的过程,在我们今天的教师队伍中是大有人在的。比较全面和科学的观念应该是把教学过程视为教师展示自己丰富、独特、完美的个性的过程(是自然的展示,而不是炫耀或卖弄);是教师藉此以充分调动学生整个个性的内在力量来促进、深化、拓展教与学的过程(如优秀的教学是学生的强大动力,是学生整个学习的中心,学生的整个学习以至生活都有可能成为教学的继续与拓展);是师生之间独特的社会生活体验的过程;是师生,尤其是学生全面成长,特别是精神世界丰富、纯洁、深邃的过程;是学生在教师引导下日益丰富和深刻地参与与有教养的人类进行对话的过程。因为,人只能由人来建树,性格只能由性格来塑造,人格只能由人格来培养。

重视教学过程有两层含义:一是教学过程应该具有探索性;二是重视教学中的交往。在大学教学中教学过程的探索性决定了教学内容应该具有前沿性。在大学教学中,教学过程的探索性就一定需要内容的前沿性来保证,这是因为大学的教学对象已经有了相当丰富的知识积累。这就要求大学教学不仅仅是知识的传播过程,同时也是知识创新的过程。这表现在即使是基础知识教学,也应站在学科发展的前沿反观基础、改造基础、重建基础。被爱因斯坦称为才子的无名氏(Anoy-mous)有一句耐人寻味的话:"什么是教育呢?把所学的东西都忘了,剩下的就是教育",这就是说,只有能够赋予学生良好的智慧品质的教育才是有效的教育。

有效的大学教学不仅应该凸现整个学科的赖以确立和研究之中所具有的方法论,还必须努力发掘在基本概念和命题之中所包含的方法论，比如，“文化生态”这一概念之中包含的系统论的方法论思想，“社会存在决定社会意识”、“审美对象决定审美主体”这些命题中所包含的历史唯物主义的方法论。在概念中包含着方法论的思想是因为在任何学术领域中概念的确立、问题的解决和方法论的生成有着内在的关联和高度的一致。

中小学教学可从大学教学中吸取的有价值的东西，正是教学活动的开放性，教学过程的探索性，教学风格的个体性，教学内容的前沿性。而只有这样的教学，才能够给予学生触及心灵的影响；才能够激活、提升他们在生活中、实践中积累的经验；才能够更新他们的知识和拓展他们的理论视域；才能够带给学生理智的以至整个人生的挑战；才能够丰富和增进学生的精神生活。

教学活动的开放性意味着教学并不是事先设计的教学程序的现场展开（尽管教师在授课前的教学设计是十分必要的）；意味着教学的即时性、现场感、灵活性、对于突发事件的确当处理、教学节奏的及时调整、对于多样性与差异性的珍视；意味着教学的真正目标是为学生的发展提供机会；意味着教师的工作是“教学生，而不是教教材”。

教学过程的探索性，意味着学生在课堂中的学习，更多的是发现学习，而不是接受学习；不是现成结论的简单展示，而是教师引导下的探究学习、试误学习、自主学习。

教学风格的个体性，意味着教师教的风格是根植于自我的个性的，是艺术的创造；是成熟、健康、丰富个性的自然流露和延伸。

教学内容的前沿性，意味着教学内容与时代精神是相一致的，意味着即使是基础知识教学，也应站在人类思想、文化发展的前沿反观基础、改造基础、重建基础。

只有这样的教学，才能培养有着健康、丰富个性的，能够创造幸福生活的一代新人。在中小学教学中，如果系统性、科学性、规范性、基础性不能与开放性、探索性、个体性、前沿性保持合理的张力，那么，教学活动的系统性就可能演化为僵死的、缺乏活力的、封闭的心理过程；天衣无缝、和盘托出的教学，无疑是具有系统性的，但是，它很可能窄化人们的心理空间，压抑人们的怀疑精神、批判精神，窒息人们的创造性和想象力。而所谓“科学性、规范性”，也就成为了解释的惟一性、理性的霸权、本本主义、教条主义、标准答案之所以存在的依据，成为塑造唯命是从、人云亦云的“标准件”的最好口实。至于“基础性”，如果没有人类思想、学术前沿发展的关照，也就可能成为落后于时代的、保守的、墨守成规的东西。

39

完整的理解学习

“学习”作为一个语词，人们耳熟能详；作为人的一种存在方式，人们司空见惯。自古以来，学习就是思想家们热衷于关注的主题。“学者，觉也”(《礼记·王制》)，“学而不思则罔，思而不学则殆”(《论语·为政》)，“学而时习之，不亦说乎”(《论语·学而》)，“学莫贵于自得”(程颐)，“思之自得者真，习之纯熟者妙”(明代学者王廷相)，“化民成俗，其必由学”(《学记》)，分别是古圣先贤对于学习的真义、学习的原则、学习的方法、学习的功能的经典性表述。

现代社会所需要的是富有教养、有独立性、有自信心、自由自律、敢于冒险、具有创造力、足智多谋、能够积极主动地参与决策和讲求效率的人。学习是我们每一个人乃至整个社会开启繁荣富裕、文明幸福之门的钥匙。对我们个人而言，学习是提供职业发展和提升生命质量的机会：学习可以帮助人们在他们以往想象中不可能的更多的生活领域中取得成功，提供完善自我发展和开发生活新技能的机会；可以塑造更丰富的、更积极的、更有创造力和更灵活的人生，同时使人不断自我完善：学习是产生一切探究活动和创造活动的动力源泉，也是我们终身发展的内在动力。

对于青少年而言，关于学习，可能存在以下动机：

为了考试取得好的成绩，为了给父母争口气，为了回报某一个人，为了“黄金屋”，为了“颜如玉”，为了将来找到一份好的、体面的职业，为了自我的成长，为了能够创造幸福的生活，为了中华之崛起，为了人类进步的事业，等等。这种种的学习动机虽然都无可非议，但它们毕竟有高下之分。正如苏霍姆林斯基告诫我们的：“应该抱有一种强烈的愿望去学习、去认识世界，以不断丰富自己的精神世界。倘若学生只是以将来是否有用这种观点来看待知识，他就会没有激情、计较个人利益、动机不纯，甚至情操低下。”从孩提时代开始，不断地唤醒和弘扬人的自然天性中蕴藏着的探索的冲动，养成敢于质疑的个性，培养对学习的终身热爱，这应该是良好教育的首要目标。

怀抱着强烈的高远的动机的学习，一定是建基于关注自我成长与发展的学习。而个人的发展实质上包含个人能力和社会关系两个方面：个人能力指鉴赏力、洞察力、学习能力、创造能力、表达能力等；社会关系的丰富则意味着个人能不断地拓展自己的生活舞台，在不断拓展的社会生活中成功地扮演各种社会角色：“只有每日每时地不断开拓生活与自由，然后才能作自由与生活的享受。”(《浮士德》)

就学习的内容而言，不仅要学习科学、艺术和生活技能，态度的学习、价值观的学习，也是十分必要的：学会尊重少数、个别、弱势群体，学会尊重不同的意见，学会尊重人们捍卫自身权益的权力，学会尊重异端的权力，学会宽容，学会对于自我的立场、观点和趣味保持审慎的边界意识，学会对自我的行为、观点所依持的立场进行反思和检视，以防止过分的自我中心和自我膨胀。

对于在校的学生来说,听课与读书是最基本的学习途径。听优秀教师的课,使人们感受到的不仅是循循善诱,而且是心灵的晤对、人格的感召;它所获得的启迪和熏染,是读书不易感受得到的。而读高质量的书,却能使所获得的知识更为精确、扎实,也更适合于不同个体的认知风格。两者不仅各有千秋,而且可以相得益彰。

听课是学习,读书是学习,写作也是学习,而且是更有效的学习,因为写作使得阅读不能满足于泛泛浏览,而必须是一种研读;养成写作的良好习惯,也会使我们更用心地品味生活,洞明世事,从更广阔的生活世界中捕获到益人心智、怡人情性、滋养人生的知识与信息。

完整地理解学习,唤起人们不断高涨的学习热情,营造一个学习化的社会,是建设美好人生与美好社会的不二法门。因为在真正的学习发生的地方,你一定能真切地感受到学习者心灵成长的悸动和文明的律则。

学习方式就是人的存在方式

课程改革是一项关系到几亿人、几代人的生命质量的宏大工程。本次课程改革的重点之一是如何促进学生学习方式的变革。而学习方式的转变意味着个人与世界关系的转变，意味着存在方式的转变。

如果一个在学校中度过9年或12年的孩子，整天处于被动的应付、机械的训练、死记硬背、简单重复之中，对于所学的内容也就难免生吞活剥、一知半解、似懂非懂，很难想象，在他(她)的一生中，能够具有创新的精神和创新的能力，能够成为幸福生活的创造者和美好社会的建设者，能够不唯书、不唯上，能够用自己的眼睛去观察，用自己的头脑去判别，用自己的语言去表达，能够成为一个独特的自我。

学生学习方式的转变迫在眉睫!

它关系到我们的教育质量，关系到师生的校园生活的质量，关系到年轻一代能拥有一个什么样的未来，关系到民族素质的提高，关系到综合国力的强弱。

学生是有着完整的人的生命表现形态、处于发展中的、以学习为义务的人。“学生”一词可以从“人”是自然的存在、社会的存在和精神的存在三个层面来解读：学生学习——掌握生存的常识和技能，以便独立地面对世界；学生学习——遵从生活的律则与规范，以便和谐地与人相处;学生学习——探索生命的价值与意义,以便有尊严地立于天地之间。

教育必须以学生的发展为本。为此,我们今天必须倡导新的学习方式,即自主学习、合作学习、探究学习的学习方式。这也是实施新课程最为核心和最为关键的环节。

学习是经验的重新组织和重新解释的过程。在我的解释框架中,自主学习(意义学习)是相对于被动学习(机械学习、他主的学习)而言的,是指教学条件下的学生的高质量的学习。而合作学习是指教学条件下学习的组织形式而言的,相对的是“个体学习”与“竞争的学习”。探究学习(发现学习)是相对于接受学习而言的。

根据国内外学者的研究成果,自主学习概括地说,就是“自我导向、自我激励、自我监控”的学习。具体地说,它具有以下几个方面的特征:

1. 学习者参与并确定对自己有意义的学习目标的提出,自己制定学习进度,参与设计评价指标;

2. 学习者积极发展各种思考策略和学习策略,在解决问题中学习;

3. 学习者在学习过程中有情感的投入,学习过程有内在动力的支持,能从学习中获得积极的情感体验;

4. 学习者在学习过程中对认知活动能够进行自我监控,并作出相应的调适。

这里所说的自主学习是指教学条件下的学生的高品质的学习。所有的能有效地促进学生发展的学习,都一定是自主学习。大量的观察和研究充分证明,只有在如下情况下,学生的学习才会是真正有效的学习:(1)感觉到别人在关心他们;(2) 对他们正在学习的内容很好奇；(3)积极地参与到学习过程中；(4)在任务完成后得到适当的反馈；(5)看到了成功的机会；(6)对正在学习的东西感兴趣并觉得富有挑战性；(7)感觉到他们正在做有意义的事情。要促进学生的自主发展，就必须努力创设最大可能地让学生参与到自主学习中来的情境与氛围。

合作学习是指学生在小组或团队中为了完成共同的任务，有明确的责任分工的互助性学习，它有以下几个方面的要素：

1.积极承担在完成共同任务中个人的责任；

2.积极的相互支持、配合，特别是面对面的促进性的互动；

3.期望所有学生能进行有效的沟通，建立并维护小组成员之间的相互信任，有效地解决组内冲突；

4.对于各人完成的任务进行小组加工；

5.对共同活动的成效进行评估，寻求提高其有效性的途径。

合作动机和个人责任，是合作学习产生良好教学效果的关键。合作学习将个人之间的竞争转化为小组之间的竞争——如果学生长期处于个体的、竞争的学习状态之中，久而久之，学生就很可能变得冷漠、自私、狭隘和孤僻，而合作学习既有助于培养学生合作的精神、团队的意识和集体的观念，又有助于培养学生的竞争意识与竞争能力；合作学习还有助于因材施教，可以弥补一个教师难以面向有差异的众多学生教学的不足，从而真正实现使每个学生都得到发展的目标。

在合作学习中由于有学习者的积极参与、高密度的交互作用和积极的自我概念，使教学过程远远不只是一个认知的过程,同时还是一个交往与审美的过程。研究表明,如果学校强调的是合作,而非竞争——既不按智力水平分班,又不采取体罚的措施,那么这种学校就不太会发生以大欺小、打架斗殴以及违法犯罪等事件,同时也不会因为强调竞争而降低学习成绩。事实证明,要提高一个孩子的学习成绩,更有效的办法是促进他的情感和社会意识方面的发育,而不是单纯集中力量猛抓他的学习(根据美国学者古奇和普林格尔 1996 年的研究)。

合作学习可以帮助学生通过共同工作来实践其社会技能。在合作式的小组学习活动中可以培养学生的领导意识、社会技能和民主价值观。这所学校还努力构建一种积极的育人环境,在这一环境中每个学生都有所收获,并得到认可。

所谓探究学习即从学科领域或现实社会生活中选择和确定研究主题,在教学中创设一种类似于学术(或科学)研究的情境,通过学生自主、独立地发现问题、实验、操作、调查、信息搜集与处理、表达与交流等探索活动,获得知识、技能,发展情感与态度,特别是探索精神和创新能力的发展的学习方式和学习过程。

探究学习相对的是接受学习。接受学习的学习内容直接呈现给学习者,而探究学习中学习内容是以问题的形式来呈现的。

和接受学习相比,探究学习具有更强的问题性、实践性、参与性和开放性。经历探究过程以获得理智和情感体验、建构知识、掌握解决问题的方法是探究学习要达到的三个目标。"记录在纸上的思想就如同某人留在沙上的脚印,我们也许能看到他走过的路径,但若想知道他在路上看见了什么东西，就必须用我们自己的眼睛。”德国哲学家叔本华的这番话很好地道出了探究学习的重要价值。探究学习也有助于发展学生优秀的智慧品质，如：热爱和珍惜学习的机会，尊重事实，客观、审慎地对待批判性思维，理解、谦虚地接受自己的不足，关注好的事物等。

国外学者将探究学习分为六种基本类型：实验性探究、逻辑推理任务、基于测量的研究、工程性设计、技术性设计、开放性的研究。

这里值得特别指出的是探究学习与研究性学习之间的关系。研究性学习，也称之为主题探究的学习。探究学习是研究性学习的上位概念。也就是说，研究性学习一定是探究学习，但并不是所有的探究学习都是研究性学习。研究性学习一般为长周期的作业。根据对研究和研究性学习过程的分析，研究性学习在五个方面与科学研究既有联系又有区别，这五个方面的特征构成了研究性学习的五个基本特征。

·发现和提出问题：根据日常经验观察发现问题并提出问题；

·收集证据：根据问题搜集事实和证据——学习者重视实证(evidence)在解释问题中的作用。

·形成解释：根据搜集到的证据形成解释或假设。

·评价结果：根据其他解释对自己的解释进行评价——学习者重视思考的独立性与思想的开放性。

·检验结果：学习者交流和验证他们提出的解释。

在哈佛大学师生中流传着一句名言：“The one real object of education is to have a man in the condition of continually asking questions.”(教育的真正目的就是让

人不断提出问题、思考问题。)问题就是以我们原有知识、经验不能解释、理解和说明的现象。因而问题也就是思想的资源,我们思想的推动力,也就是我们心灵的财富。研究性学习的价值不仅在于更为坚实地建构知识,也能很好地培养学生求真务实的工作作风和生活态度。

所有的能有效地促进学生发展的学习,都一定是自主学习。但并不是所有的学习领域和学习主题都需要用合作学习的组织形式,也不是所有的学习领域和学习主题都需要用探究学习的方式来进行。不仅个体学习的组织形式是必不可少的,接受学习对一些学习内容来说也是必要的。

只是在我们过去的教学中,由于种种原因,特别是由于教学大纲规定了过多的知识点,使得教师只能用简单的"授—受"的教学方式来进行。今天,从教学大纲到课程标准的重要变化之一就是减少了知识点,给教师的教和学生的学留出了更多的空间,我们有必要也有可能更多地强调合作学习与探究学习的方式。而真正的合作学习和探究学习一定是自主学习。而只有自主学习才能帮助学生确立自主的尊严和获得可持续发展的动力。

我们之所以特别强调倡导自主学习、合作学习和探究学习,其理由就在于:教育必须着眼于学生潜能的唤醒、开掘与提升,促进学生的自主发展;必须着眼于学生的全面成长,促进学生认知、情感、态度与技能等方面的和谐发展;必须关注学生的生活世界和独特需要,促进学生有特色地发展;必须关注学生终身学习的愿望和能力的形成,促进学生的可持续发展。

其理由也在于：并不是所有的教学都是有意义和有价值的，可能是无效的，甚至可能是负效的。何种教学就可称为“有效教学”？也就是说，满足何种条件或具有哪些特征，就可算作“有效教学”？不同的教学观，对此会有不同的理解。基于自主学习的观念，有效教学应具有如下几个方面的特征：

1.让学生明确通过努力而达到的目标，并且明白目标的达成对于个人成长的意义；

2.设计具有挑战性的教学任务，促使学生在更复杂的水平上理解；

3.通过联系学生的生活实际和经验背景，帮助学生达到更复杂水平的理解；

4.适时与挑战性的目标进行对照，对学生的学习有一个清楚的、直接的反馈；

5.能够使学生对每个学习主题都有一个整体的认识，形成对于事物的概念框架；

6.能够迁移并发现和提出更为复杂的问题，有进一步探究的愿望。

其理由还在于：我们不能对“课堂上的收获”作狭隘的理解，收获不仅包括认知的：概念、定义、原理(公理、定理)、公式、基本事实等等的掌握以及认知策略的完善，也应包括态度、价值观的改变、丰富与提升，所经受到的理智的挑战和内心的震撼，所获得的感动和鼓舞，以及精神的陶冶和心灵的净化，等等。具体地说，至少包括以下六个方面：经验的激活、丰富与提升，知识的建构与运用，认知策略与学习策略的精进，情感的丰富、细腻和纯化，态度和价值观的形成、改变与完善，技能的形成、巩固和熟练。

一言以蔽之,有效的教学能够唤醒沉睡的潜能,激活封存的记忆,开启幽闭的心智,放飞囚禁的情愫。这必定不可缺少学生的自主学习、合作学习与探究学习。

捌

教育的期待

JIAO YU DE QI DAI

41 教育的期待

教育内在于一个人文的世界。在这个世界中,教育的方向和效果更多地取决于我们的信念和期待。良好的教育必定有一个价值预设:人性向善。基于这一价值预设,良好的教育更多的是尊重和信任,而不是防范与责罚。

在我们成人世界里,经常可以发现这样一种现象:人们习惯于用对于别人的“错误”、“问题”以“残酷斗争,无情打击”来表明自己旗帜鲜明的立场与态度,而且是立场愈鲜明、态度愈坚决,就似乎愈能标明自己离某种“错误”和“问题”愈远。另外,我们习惯于树立榜样、宣传榜样、学习榜样,而往往漠视我们每一个人身上存在着的宝贵的“善端”,因而我们就往往少了一份对人的信任和由衷的尊重。在我们的教育实际中,在对待学生,特别是对待那些暂时在某些方面后进的学生,有着太多的轻蔑、讥讽、责罚和制裁。在笔者看来,更多地给予学生温暖的感化,让他们多一份真诚的感动,唤醒、激活他们心中潜藏着的对于美好生活与美好事物的向往,是与对人性乐观、光明、正直的期待相联系的。因而,人性问题就不仅仅是一个哲学问题,而是与我们日常的教育行为密切相关的问题。

人性的问题,不是一个实证科学或经验科学的问题，而是一个人文世界中的价值预设。如果说，在政治、法律领域，作“人性本恶”的价值预设有利于政治制度和法律体系的完善的话，那么，在道德、教育领域，作“人性本善”的价值预设，则是道德与教育的内在特征所要求的。在笔者看来，肯定人的精神自我、精神生命、精神需要的存在，就是对人的独特价值和人的尊严的肯定，就是对人性中光明与正义的乐观的祈盼。这种期待，也就是教育人类学所谓的“教育的意向性”。

“人性向善”不是一个需要去证明的事实，而是一种价值承诺，一种有待实践的理想；是教育信念确立的基础和前提。当我们觉得这个世界是美好的，它便在很大程度上折射出我们内心世界的美好；当我们觉得这个世界是丑陋的，它便在很大程度上折射出我们内心的阴暗。在道德教育中，“人性向善”的价值预设就好像要制造一种产品，原材料必须具备可加工成这种产品的性能一样。“人性向善”是说在人性中先验地存在着各种道德的萌芽，因而造就道德性的个体只需“培养”，使这种种子发扬光大。

道德教育必须对人类自身的道德潜能予以充分的信任，否则，道德教育就不可避免地沦为防范、惩罚和模塑的同义语。越来越多的人认识到，真正具有“道德”意义的道德教育，不是把社会现存的道德规范和行为准则灌输给学生，使学生成为一个个“美德的集合体”，而是启发和唤醒学生的道德自觉和道德良心，使学生树立道德理想，领悟人生真义。而“启发”和“唤醒”学生的道德自觉和道德良心之所以可能，是要以个体人性中先验地存在着“向善性”为前提的。

在教育，特别是道德教育的理论建构中，把“人性本善”作为其价值预设,其目的就在于导引出一条现实途径:那就是通过激活、唤醒等方式来发掘、弘扬人的潜能中积极的、美好的、建设性的、善良的因素。“如果认为人的内心深处基本上天生是恶的，那么必然意味着压抑性统治、不信任、控制和警戒。”

在教育中,进而在道德教育中,只有作“人性本善”的价值预设，我们才可能对教育的结果作乐观与光明的期待,才能确立起对人的信心、对教育的信心,我们才有平和的心态;当遭遇挫折时,不至于气急败坏、暴跳如雷,才可能真正具有教育者的胸襟和怀抱。

我们不妨想象一下，一片森林，如果没有一点空隙,阳光怎么能照进来呢?人先验地存在着的“向善性”就如同森林中的空隙，这空隙才是阳光得以照进去的先决条件。真正的道德教育基于一种肯定超越性和趋向于普遍义理的自觉性作为人的本质特性的人性论。换言之，它建基于对人的道德自觉与向善性的无限乐观的期许。

以“人性向善”为价值预设的教育力图引导受教育者营造明丽的内心生活,建构坚实、丰富、光明的精神世界，引导着年轻的心灵对人生的意义和价值作深切的体认,引导人生对世俗功利和有限性的超越,唤醒、弘扬、提升人性深处对正义与光明的期待。因为千百年的人类生活实践告诉我们,只要我们心中有一缕阳光,它便会照亮我们生活的每一个角落，我们就会有更多的友善的、真诚的、甜美的微笑;只要我们在心中珍藏起一份美好,生活就是最甜美的清泉。

42 建基于信仰的教育

作为工作多年的大学教师，从世俗的眼光来看，我不仅衣食无忧，甚至可以说生活几近完美。但内心深处总有一种惶惑，一种挥之不去的怅惘，随着年岁的增长，这种感受日益强烈。每当夜深人静，流放于尘世之间的自我回到家中的时刻，就会有一个问题悄悄地爬上心头：人为什么活着？我相信，那些摆脱了生存危机而又关注自我内心生活的人都会有同样的困惑，会遭遇同样的拷问。

可在今天这样一个真诚逃亡和良知隐逸的时代，一个由效益(率)、功能、技术、模式、经济原则所支配的社会，以从容的心态谈谈无限与永恒、谈谈信仰与孤独、谈谈神秘与本体、谈谈灵魂安顿与终极关怀，这些看起来不染器尘的形而上概念，对大多数人来说，已是难以追怀的往事与神话了。生命最本真的问题被膨胀的物欲所遮蔽。

因而在今天，我们思考教育问题，如果没有一种使命感，一种深沉的痛楚和战栗的恐惧，如果不能渲染一种民间思想和自由知识分子的操守，我们的思想就必定是苍白和无力的，就不可能有感召力和感染力。这种痛楚和恐惧，就源于我们对于日渐消逝的人的焦虑，源于对物欲与技术统治下人的呻吟的谛听与同情，源于我们对于灵魂安顿与终极关怀的诉求；而这种操守是只能建立在我们的信仰之上的。

在一定的意义上说，我们都是莫名其妙地生与无可奈何地死。我们每一个人都不是自己主动要求出生的，但既然我们来到了这个世界上，我们就必须严肃地面对这样一个问题：我们究竟为什么活着？这是一个灵魂的问题，它不可能依靠理性和逻辑来求得确解，而只能诉诸信仰。

教育的最高境界当是灵魂的感召。从某种意义上说，教育与信仰有着内在的关联，甚至可以说，信仰是真正教育的天然要素。因为真正的教育不仅有着现实的关怀，还会有着终极的关怀。而终极关怀只能用信仰来承载。因为人之为人就在于人是一种精神的存在，生命的存在唯有灵魂，作为精神存在的最核心的要素就在于对生命的价值与意义的领悟。领悟来源于启示，来源于仰望。

没有信仰就没有灵魂，而没有灵魂，一切都将成为没有结局的开始，成为权宜之计，成为得过且过、苟且偷生；没有灵魂，所谓的道德就会沦落为一种伎俩：一种逃避责罚和获取奖赏的伎俩。在我们的生活中，随处都可见到那些在貌似道德的行为背后隐藏着一个不道德的动机、将道德作为敲门砖以最大可能地捞取好处的伪君子，这就是因为缺乏信仰所致。

在中国文化的设计中，人们关注的中心问题是“人应该怎样活着”——如何在一个由君臣、父子、夫妇、兄弟、朋友这五伦对等关系(而不是平等关系)所构成的社会中尽自己的本分：怎样做到君敬臣忠、父慈子孝、夫和妇顺、兄友弟恭、朋谊友信。而对于比“人应该怎样活着”更高的一个问题:“人为什么活着”,缺乏丰富的、富于深度的思考,因而中国的伦理道德都带有功利的色彩,并不可避免地沦落为一种处世伎俩。

教育的问题归根到底是一个信仰与哲学的问题。信仰问题首先是一个文化问题,其次才是一个人生的问题。对世界和人生的某种最高真理的寻求乃是灵魂的需要。

如果一种文化中缺乏对于灵魂安顿的设计,存在于这种文化中的个体,要么麻木不仁、浑浑噩噩,要么唯利是图、巧取豪夺,要么苦苦探寻、无所适从。在我们的文化建设中,着眼于信仰,是何等必要。文化、信仰、教育三位一体,才能构成一个完整人的成全的精神生态。所谓信仰就是我们的生命的支点、生命之根赖以驻扎的土壤,没有信仰生命就会遭遇难以承受之轻,就只能有类似于动物本能的生存,而不会有真正人的生活,更不会有生命价值的弘扬与实现。

建基于信仰的教育必定有着这样四个不可或缺的要素:必须守护的核心价值、使命感、终极关怀和仪式境界。而反思一下我们今天的教育,充其量只能算是宣传加规训,它的确可以塑造某一种满足一定需要的“建设者和接班人”,但难以成全立于天地之间大写的人。

建基于信仰的教育是一种源于内心的召唤,这种召唤带给人们的是一种温柔的冲撞;它使得内在于教育情境的每一个人都会无比真诚地谛听来自生命最本真的悸动和低语,教育过程真正成为一个没有耳提面命的疲惫、温暖而百感交集的精神之旅,在日渐清晰的人生目的的探寻中,心灵变得纯净、充实、澄明和温润。

43 反思道德教育

一

那些永远被人们记起而且不断被赋予新的内涵的话题必定具有永恒的意义，比如“真、善、美”，比如教育、道德与道德教育。任何认真看待教育的人，都会肯定道德教育的重要性。如果完全去除道德教育的因素，教育也就不成为教育了。但问题在于，道德教育的出发点是什么？

我们的回答是，对于精神价值的守护，对于生活意义的追寻，应该是教育(特别是道德教育)的最崇高的使命。对于精神价值的尊重和守护，意味着精神有着物质无可比拟的价值，有着不能以物质的尺度来衡量的独特价值；意味着人的精神的神秘性和不可言说性；意味着人的心灵世界的丰富与深邃；意味着需要审慎地防范将人简单化、物化和粗暴的裁剪与肢解。而意义，对于个体而言，既不是某种先验的规定，也不是某种抽象的原则，而是生活自身真切的对人的价值，是个体自主创造、自主赋予、自主诠释的生活空间中的精魂。但是，只有当我们预设了比肉体生存本身更高的意义的处所，生命才能成为生活之本，对生命之爱也才能成为生活意义的根源。这正是“意义”的玄妙之处，也正是“教育”的义理精微之所在。

没有价值的生活就是人的无意义的生存。“没有价值观体系的状态就是一种心理病态。人类需要一种生活哲学、宗教或一种价值体系，就像他们需要阳光、钙和爱情一样。”然而生命的意义是无法通过说教、灌输而获得的，只能通过对人类历史、人类文化的体悟，通过对自我心灵的叩问而获得。时下，个人与人类精神文化之间成了一种走马观花式的浅表性接触，人们也逐渐失去了对高尚精神文化的敬重与仰慕，这就是意义危机。而意义危机的背后是信仰危机。道德教育应该有助于化解这一危机，并真切地关注个体生活意义的生成。

二

学校道德教育实效低下的原因固然是多方面的，但我们以往的道德教育在很大程度上是一种无视主体性的道德教育是其重要原因。这种无视主体性的道德教育主要表现在：

(1) 对道德教育的目标设定的虚空或低俗，对道德教育价值认识论上的狭隘与功利——人们更多地把“个人”作为社会的“一分子”来看待，个人不是被视为个人，而是被视为“国民”，对个人的独特性和独立性缺乏应有的尊重。道德教育的重要性更多地从社会稳定与和谐、理想社会的实现的角度来强调，甚至为了“虚幻的共同体”的需要，因而缺乏应有的感召力。

(2) 把道德片面地视为对人的意志与行为的限制与防范，在道德教育方法上把学生单纯地视为道德规范的被动的接收者，普遍采用灌输。而“灌输既不是一种教授道德的方法，也不是一种道德的教育方法。之所以说它不是一种教授道德的方法，是因为真正的道德包括对于那些有可能处于冲突之中的价值作出审慎的决定;之所以说它不是一种道德的教育方法,是因为合乎道德的教育意味着尊重儿童正在发展着的推理能力和对他们所学的内容的评价能力”。

(3) 片面强调学生对于道德义务、道德责任的认同,而无视义务与权利的对等性,忽视学生的道德生活和需要，忽视引导和提供机会与情景使学生对个体的人格尊严、生命的意义与价值予以体认:在道德教育过程中,往往把“禁止”、“防堵”,甚至“管、卡、压”作为立足点和基本手段，忽视学生的主体地位和主体性的发展,学生受到来自多方面不应有的限制和束缚,个性差异、独立人格得不到应有的尊重。

三

我们必须审慎地区分宣传与教育之间的差别:宣传是通过反复的、带着无可争辩的口吻、具有强权色彩的说教与宣称;而教育则力图唤醒人们理性的自主,对问题不懈地质询与追问而获得真理的澄明和内心的敞亮。教育不仅要“求得”师生理智的清明,更要“求得”灵魂的纯净和超越。

宣传是宣传者以真理的代言人的身份强说“真理”，而教育是教育者引导和辅佐学生建构真理的过程,在宣传者那里,真理是实体性的存在;而在教育者那里,真理只是我们可能拥有的视界的融合。“用自己的头脑去判别”,对真理的执着追问以及对于生命意义的强烈诉求，即思想自由和信仰自由在个体精神世界中的确立,是教育的重要鹄的。

多少年来，学生一直有意无意地被看做是需要说教和灌输、缺乏选择能力和选择余地的人的集合。其实,只有在开放的环境中,人才可能具有免疫力;也只有在充满各种诱惑的环境中，人才能生长出抗拒诱惑的能力。道德存在于具有冲突的情境中,道德和教育共同的一个特征就是个体的自主选择与自主建构。

四

伦理与道德的区别就在于,伦理强调外在规范、他律、理性认知,而道德是一种内心的生活,是立于信念(仰)之上的自主的、可以自我求取的精神空间。道德相对于伦理,更具有永恒性和普遍性,是个体意识向类意识的复归。如果说伦理教育着眼于理性、认知、统一、规范,那么道德教育着眼于情感、意趣、个体、自由。道德是与对生命的意义的理解相关联的。道德不是用来责罚别人的,而是用来自我求取的;人总是作为社会的人而存在的,把道德归属于个人,并不是要消解道德的社会性，而是要捍卫道德的纯洁性，捍卫个人自由作为“独立的善”的价值,把道德作为人自我实现的途径。

我们可以要求一个人遵守公共生活的规范，但我们不能要求一个人去奉献。对于一个社会来说,制度建设也许是比道德教化更要紧的事情，假如一个制度是不公正的,是存在着等级和对一部分歧视的,那么又何以可能要求人们拥有“平等”的观念?人与人之间的尊重又如何能做到真诚?过去,我们把“伦理”与“道德”混为一谈,这个原因恐怕就在于中国传统社会中政治、伦理、道德的三位一体;从“道德伦理化”到“伦理政治化”再到“政治伦理化”——“伦理道德化”,在这种文化境遇中，一个人的政治地位也就成了一个人道德水准的标志,政治人物往往就成为道德的表率、道德的楷模。

五

古人云:“身教者从,言教者讼”,道德是社会中的力量,更是人本身的力量,人本身若无道德的要求,任何强力也不能使他变为道德的人;过分要求别人“有道德”,其实是有自己并不怎么道德的嫌疑的。一来是因为，宽容本身就是一种道德:“躬自厚而薄责于人”,不仅要“己所不欲,勿施于人”,而且要“己所欲,勿施人”,这才是崇高的道德境界,过分要求别人“有道德”的人是没有这种境界的;二来是,过分要求别人讲道德,也有自己企图从别人的“讲道德”中捞取好处的嫌疑:别人都奉献,自己便可坐享其成;别人都讲风格,自己便可“吃风格”;即使是非常邪恶的人,大概也都希望别人是很道德的。

真正高贵的精神是乐于分享、非自我中心的,心灵的力量是感化的而非强制性的。一般所说的良心指主体对正义和义务的内心确认，并以此作为内心的评价标准。它是人在道德上自我认识、自我选择、自我评价和自我负责的体现。

六

我非常认同和欣赏这样一种观点:“有一个重要的观念认为,所有的教育都是道德教育。因为我们有多方面的理由表明，教育从根本上涉及到个体内部价值体系的发展。”这一观念体现的是一种“关系思维”,它较之于“首位论”这种“等级思维”的产物要来得合理和高明。道德教育无疑是教育中最具人性意蕴的部分与要素:从人与动物这个维度上看,道德教育注重人的精神性与超越性;从个人与社会的关系上看,道德教育注重人的主体性与独特性。

中国历来重视道德教育,中国古代教育史几乎就是一部道德教育史,这是不争的事实。但对此作出价值评判恐怕要联系到人们对道德的理解、道德在个人生命系统中的意义、道德在社会生活中功能的考察,以及强调道德教育的出发点等等。离开这些,来谈"优秀传统"是有些轻率的。因为中国传统的道德教育基本上只是"建国君民"、"化民成俗"的工具和手段,而不是人生意义的关照和精神价值的弘扬。

七

推己及人、将心比心是中国传统文化对人们道德践履的要求。然而,"推己及人"何以可能?这种可能性恐怕就存在于共同的人性之中,正如"人同此心、心同此理"这句古老的格言告诉我们的:我们作为人类的一分子,分享着共同的人性。共同的人性存在于我们每一个人的心灵深处,道德教育的价值就在于唤醒、弘扬、生发和不断地提升我们心中的"向善性"。过度防范、强制和惩罚,既与道德的真义不符,也与教育的旨趣相悖。对人充满信任,以真诚的态度对待我们周围的人和事,即使遭受一些挫折和痛楚,也不因噎废食,这便是道德教育要达成的一个目标。其实,遭遇挫折本身就是我们成长中的一部分;通过挫折来获得丰富的情感体验,我们才有可能对别人的不幸有同情共感。

44 让公正的观念深入人心

记得早些年看过一部美国电影，其故事情节基本都忘了，甚至电影的名字也记不起来了。但其间的一个细节却经常想起：一位成年男子下班回到家，对自己六岁的女儿说："爸爸和你玩一会儿，好吗？"没想到小女儿却说："爸爸，你忙的时候就把我忘了，你没事了就来找我玩，这公平吗？"真是语出惊人。人家这么小的孩子就有如此强烈的公平观念，国民素质之高可见一斑。

西方学者罗尔斯在《正义论》中的观点非常值得我们重视：正义是社会制度的首要价值。真理是思想体系的首要价值，如果一种制度是不正义的，不管它多么有秩序和多么有效率，那也必须加以改造和否弃；如果一个理论是不真实的，不管它多么精致和简洁，那也必须加以修正或拒斥(罗尔斯谈到了制度、思想，我觉得还应该加上情感：真诚是爱情的首要价值。一种爱情如果是不真诚的，不管它多么狂热和浪漫，那也是不值得羡慕和称誉的)。

按照罗尔斯的理解，所谓"公正"，就是为了少数人的利益而牺牲多数人的利益是不公正的；为了多数人的利益，牺牲少数人，甚至个别人的正当权益，也是不公正的。制度决定了很多，制度建设也最需要智慧。在西方从洛克、培根以来，非常注重制度建设，而我们相对来说，就显得太贫乏。制度是人们制定出来的，它可以被批判，也可以被重建。

民主的制度在很大程度上保证社会的公平、合理、有效，保证每个人最大限度发挥自己的潜能。一切活动的目的无非是要创造更多的财富，包括物质财富和精神财富。公民若是没有从事经济活动和支配自己财产的广泛自由，也就没有创造财富的自由，因而也就创造不出大量的财富。财富的增值在于人的创造力的自由发挥。对于精神财富的创造就更是如此。创造力的自由发挥以人的各种基本自由得到充分的尊重和保障为前提，以人作为人本身享有尊严和价值为前提。而要满足这两方面的前提，就必须建立相应的政治制度、经济制度和相关的法律制度。

作为社会制度，正义是最高的价值，这表明了一种在公平与效益之间的价值选择。在罗尔斯看来，正义公平是最高的价值，因为它关系到人的尊严问题。人的尊严是不可让渡的。因此，必须把公正放在首位。最能解放人类创造力的制度肯定是最合乎人性的制度，因而也是道德的制度。因而可以说，民主也是一种生产力。

过去，即使在公共领域中，国人也习惯于按个人的好恶来处理问题，而不是按规则来办事，特别是不能做到在规则面前人人平等。这样一来，那些擅长于溜须拍马的人，那些擅长于收买人心的人，总是能够如鱼得水，甚至平步青云。而那些有傲骨且有几分傲气的"怪才"们就会经常地不得志，经常地遭遇挫折。这又进一步强化了他们对于社会、人性中阴暗面的认识，甚至进一步导致了他们内心的畸变和个性的扭曲。绝大多数有可能成为一流头脑的人才就这样被扼杀了。

只有民主的制度才是真正人道的制度。因为公正的制度和按照这种制度来平等地对待所有人，就是对个性、对个人的独特性最广泛和最有力的保护。有些人总是要阻挠民主制度的建立，原因就在于：只有在不透明、不公开、不民主的制度中，在由少数人一手遮天的暗箱操作中，他们才能捞到更多的好处，才能最大程度地满足自己日益膨胀的、龌龊的私欲。不是有人说“再大的大款，也大不过公款”吗？由于缺乏监督，挥霍公款，甚至贪污受贿，就成了人们屡见不鲜的社会景观。

一些既得利益者，当然也是当下的强势群体的成员，之所以公然宣称或极力维护“赢家通吃”、“马太效应”的合理性和合法性，就因为这可为“能者多捞”提供一种理论的或传统力量的支持，从而多一份心安理得的自我解脱。这样一来，他们就似乎可以全然不把公正、公平放在眼里，他们可以忘了“头顶三尺有神明”的古训，他们不相信“任何罪恶都将被清算”的自然法则，他们沉浸在“捞到了喜出望外的好处”的亢奋之中，他们全然感觉不到“清算者”在向他们挺进。

其实，我们也不难发现，民主的社会，公正的社会，是最安全、最和谐、最有前途和最有活力的社会。这是我们努力要去建设的社会。从哪里开始？可以从教育开始——让公正的观念深入人心。

更多的关注农村教育

众所周知，中国是一个农业大国、人口大国，当然也是一个教育大国。但无论是教育研究者，还是教育政策的制定者，都似乎有意无意地忽视了农村教育中存在的诸多问题，如师资流失、教师素质低下、教师的工作环境不理想、学生辍学厌学、教育经费严重短缺、教学设备陈旧等等。这些问题的解决无疑需要一个过程，但如果我们视而不见，任其自然，那恐怕永远都不可能得到解决。现在，是我们更多地关注农村教育的时候了。

一

1999年12月30日《科学时报》的《成才导刊》，刊载了焦国标博士《乡村教育之凋敝令人心酸》一文。文章写到：

我是七八十年代之交的中学生。当时一个大队有一间小学和一间初中，一个乡就有一间高中。我的同龄人人人都是初中毕业，上高中的也占十之七八。现在，一个乡才有一间初中，十几个乡才有一所高中，我们百万人的大县普通高中只有两所，我们村子里已经好几年没有高中生了，今年只有3个初中毕业生。这种稀缺程度跟50年代我父母辈的中学时代差不多，完全是一种倒退。小平说过这些年最大的失误是教育,我看近20年教育的最大失误是乡村教育规模的大萎缩。我们老家初中、高中的大砍并发生在1980年,1982年又砍并了一次,当时形成的格局(密度)一直持续到现在。为什么要砍并?莫名其妙!

2000年3月31日《南方周末》《周末话题》栏目披露了"农村孩子辍学严重"的事实,并配发了《编者按》:"'科教兴国'喊得正响的时候,很多农村的孩子却过早地离开了校园,甚至连九年义务教育都没有完成。对此,仅拿《义务教育法》找那些父母兴师问罪不但不公平,而且于事无补,因为他们也是被逼无奈。

"贫困与教育收费的突出矛盾,就业竞争中的户籍歧视,这些问题若不尽可能加以解决,任其愈演愈烈,农村孩子辍学就会越来越多。而由此造成的损失不仅对于那些孩子来说,而且对于全民族的发展,都是难以弥补的。"

焦国标博士进一步呼吁:乡村教育现状,用"凋敝"这个词一点都不夸张,一点都不耸人听闻。所以要问我对21世纪教育的希望是什么,不说那么远,就说目前,国家应快快下大力气扭转近20年农村教育一直恶性下滑不止的局面!快快增加乡村孩子接受完全教育的比例!快快整顿农村小学师资队伍!

中国农村的教育问题其实远不止这些,如拖欠教师的工资,教师(特别是优秀教师)的流失,基本的办学条件得不到保障。要彻底消除"泥孩子、土台子、破房子",真正做到"一无两有":无危房,班班有教师,个个有课桌,在不少地区恐怕并不是一件容易的事情。农村教师的基本权益甚至人身安全不能得到保障也时有所闻，江苏赣榆县徐山乡樊葛村一位乡村教师因村干部催收钱款被刺死就是一例。

走马观花、形式主义严重的检查，弄虚作假、欺上瞒下的统计数据，使得广泛存在于农村教育中的问题被有意无意地忽略了、淡化了。《义务教育法》颁布已经十多年了，但在广大的农村地区，特别是在比较落后的地区，仍然是一纸空文。在城市，我们会经常见到沿街乞讨的年幼的孩子。究竟谁应该对此承担责任呢?

让我们听一听福建永春县下洋镇大荣小学陈祖强这位农村教师的呼吁吧：

在全面推行素质教育、大力培养高素质人才的今天，我们农村教育却让人担忧：几年来，我们农村教育处于彷徨、焦虑状态之中；提倡科学整体育人观念，又没有合理科学的模式；提倡课堂教学改革，师资、设备跟不上；提倡“减负”，只靠“高压”，家长、教师不知所以然。走过场集体办公，没有统一规范的自测自考，变相成绩评比，主观考评考核，办学没一点自主权……一条条枷锁锁住了每个农村教师，一张张无形的网罩套着农村教育。我们农村教师如何贯彻方针、落实政策、领会精神，找到人生价值，谁能切切实实而不是说归说做归做地真正给我们指点迷津?

二

我们教育理论界在讨论教育问题时，主要的着眼点是城市，而广大的农村的教育境况遭到了有意或无意的忽视。其实，众所周知，城市在整个中国仅仅只是一座座孤岛，农村人口占总人口 78%左右，而在城市和农村之间有一条不可逾越的鸿沟，农村总容易使人联想到贫穷、愚昧和落后，一个农民为了捍卫自己的基本权利需要付出很大的代价，这是不争的事实。这种不成文的等级观存在于许多人的脑海中。要清除这个对于推行民主法治的最大障碍，还需要我们艰苦的努力。这是我们了解、谈论中国的基本国情所无法回避的事实。

我国的《户口登记条例》是1958年公布并使用的。当年的1月9日，全国人大常委会通过了《中华人民共和国户口登记条例》，这是建国以来我国第一部关于户口制度的法律文件。此后，"城乡二元"是中国社会的基本结构。农民在中国及国际社会总是与贫穷、落后、愚昧联系在一起的，农民在受教育、就业、社会福利保障等方面都没有公正公平的待遇，占78%的农民是中国最大的弱势群体，这是中国最大的人权问题。它影响了中国的国际形象，进而对中国的发展产生不利的影响。

另外，在自然群体(如一个县、乡、国家等的人群)中很多东西都是呈正态分布的，人的天赋就是如此：智力潜能极其高的人是少数，极其低的人也是少数，大多数人居中。占中国人口78%的农村人口之中，有极高天赋的人其绝对数应是很大的，但由于没有受到好的教育，其潜能不能很好地发挥，这对于整个国家而言是一个严重的智力资源的浪费，不利于民族的进步。而且从公正来说，也是一个很严重的问题。有一个很大的群体没有受到公正对待，对此中国的很多学者予以关注，但广大的民众和一些机构对此重视不够。如果我们以牺牲这么多人的利益来维护社会的稳定，这样的城乡二元社会结构的存在是值得怀疑的，必须加速其解体。我们应该也一定能够采取更好的措施来保障和维护社会的稳定。

城乡二元社会结构的解体有助于社会流动的加速。社会流动包括横向的流动和纵向的流动。横向的流动指的是地域流动；纵向的流动指的是社会升迁性流动，比如人们地位的变化：从社会底层走向中高层，或反之。这表明人们的社会地位不是世袭的，可以通过自己的天赋、努力来改变。人们之间是有差别的，其差别应由天赋、努力来决定，而不是其他。社会流动是有价值的，一方面，流动带来了地域文化间的多样，从而不同的文化相互碰撞，使社会文化变得多元化，使社会更具有活力。而《中华人民共和国户口登记条例》“最大的问题是，人为地造成城乡和地域间人们身份、地位和待遇的不平等，影响人们的公平竞争和人的全面发展，也影响了劳动力资源的优化配置”。可见，城乡二元社会结构也是与市场经济的基本精神相悖的。

比如说，中国城乡二元的社会结构就极大地制约了民办、私立高等教育的发展。我国学者雷颐先生就指出：实现高等教育大众化的一个重要途径是大力发展民办、私立大学。然而，除去政治的、观念的原因(如所有制、计划体制、教育是“意识形态的重要阵地”等)外，发展民办、私立大学一个难以突破的瓶颈是中国社会城乡二元结构的严重限制。考入公立大学是农村青年“农转非”，可以当“干部”的重要途径，而民办大学则无此功能(权利)，农村学生考上民办大学虽然能获得国家承认的学历，但仍然无法改变其“农民”身份，更难成为干部、公务员、官员，而私立大学的学历目前仍未得到国家承认，其他更不必说。

只有在两种条件下，民办、私立大学才能获得质、量的大发展：或是它们获得与国立大学同等的权利、权力，或是中国社会的重大变革，从根本上废除农业人口、非农业人口的“身份制”。否则，民办、私立大学的发展空间极其有限，高教大众化也难以实现，应试教育也不可能根本改变。在现实中，只有考试、分数才为占社会绝大多数之权钱皆无的“寒门庶族”享受优质教育提供了最大的可能。在这个意义上说，考试、分数是现实条件下相对而言最为公平、合理、有效的选择。

另外，在公立高等学校招生名额的分配上，大城市也占有着很大的优势，湖南、湖北等省份比北京的高考录取线就要平均高出100多分，这既导致了地域之间的不平等竞争，也是人才资源的极大浪费。

三

在我们更多地关注农村教育的时候，有一些问题是需要认真思考的：

第一，给予农村的学生平等竞争的机会重要还是为发展本地区经济、做到“离土不离乡”(这有利于保持社会稳定)获得一技之长重要？在教学内容和课程设置上的因地制宜有没有地区(域)歧视的嫌疑？有人对现在的农家子弟因接受普通教育而不具有一技之长讥讽为“种地不如老子，养鸡不如嫂子”，难道他们就注定只能“种地”和“养鸡”吗？

第二，在目前的情况下，通过高考而实现升迁性的社会流动(对农村孩子来说，就是跳出农门，变换身份)对农村学生来说几乎是惟一的途径，如果这条途径也被“善意”的、在正确目标(比如说推行“素质教育”、杜绝应试教育)的导向下被禁绝了，那么他们就永远只能是农民，这是不是公正？究竟是否有利于中国的发展？

第三,农村教育问题的根源究竟在哪里?如果不努力消除城乡差别,给予全体国民以平等竞争的机会,恐怕只能治标,而不能治本。近些年来,社会治安的恶化,刑事犯罪案件呈上升趋势,已成为不争的事实。而违法犯罪大多为农村涌入城市的流动人口所为。作为法制社会,尽管我们不能因为他们不利的社会处境是诱使他们违法犯罪的重要原因而减轻对他们的处罚,但他们作为“被损害、被歧视”的社会成员,我们的社会对于他们的违法犯罪也是负有责任的。社会的不公正很容易导致弱势群体成员内心的畸变,而最终成为违法犯罪的心理原因。

只有解放农村、解放广大的农民,使全体中国国民在同一起跑线上竞争,城市才能最终得到真正意义上的解放。尽管消除城乡差别需要一个过程,尽管推动这一过程可能在当下要以牺牲一点发展速度为代价,特别可能“牺牲”一部分人的利益,但从整个民族的发展来看,从长远的利益来看,是值得的、必要的。

任何不幸都是具体的,也同样是令人同情的。但很多带有人为因素的不幸的发生,假如追溯到最终,或许都会发现我们这些自视为无辜者的一份责任。在一篇文章中读到这样一则故事:有个德国人这样描述他在纳粹时期的悲剧过程,开始他们抓犹太人,我没说话,因为我不是犹太人;后来他们抓波兰人,我没说话,因为我不是波兰人;再后来他们抓浸礼教成员,我没说话,因为我不是浸礼教成员;最后他们抓我,已经没人为我说话了。这说明人类社会是个多米诺牌阵,最弱势群体是第一张牌。巨大的悲剧总是从迫害最弱势群体开始的,他们成为一张不能超越的牌,但第一张牌的倒塌总是要递延到我们身上,无处可逃。

“美好的梦想必须从属于援助在苦难中和受到不公正待遇的人这个必要性，从属于这些目的而设立各种机构的必要性。”我想再一次强调:农民,是中国社会中最大的文化处境不利的群体,他们在升学、就业、社会福利保障等方面远远没有受到平等对待。在同一片蓝天下,在同一片国土上,当还有一些人,不能享有我们同样的权力,不能在同一起跑线上展开竞争时,一切正直的人们,一切心存正义与良知的人们,都不能无视占中国人口78%的广大农民的利益，都不能为了自己的既得利益而对诸多的不平等现象保持缄默。中国有数量极其庞大的贫困人口，还有许多人在为生计而奔波,这就是我们的国情,这是我们思考任何问题都不能无视和回避的残酷现实。一切具有人文精神的思想家、真正的人道主义者都会将目光投向边缘群体、弱势群体。因为边缘群体、弱势群体的他们不只是他们,他们都是我们人类中的一员,对我们而言,他们是一个个的“他我”,正如约翰·罗尔斯指出,评价一个社会要看它如何看待它的境况最差的成员。

罗尔斯在《正义论》中指出:正义是社会制度的首要价值,真理是思想体系的首要价值。如果一种制度是不正义的,不管它多么有秩序和多么有效率,那也必须加以改造和否弃;如果一个理论是不真实的,不管它多么精致和简洁,那也必须加以修正或拒斥。作为社会制度,正义是最高的价值,这表明了一种价值选择;公平与效益的问题，在罗尔斯看来，正义公平是最高的价值,因为它关系到人的尊严问题。

对于一个社会来说，制度建设也许是比道德教化更要紧的事情，假如一个制度是不公正的，是存在着等级和对一部分人歧视的，那么又何以可能要求人们拥有“平等”的观念？人与人之间的尊重又如何做到真诚？“一种文化用划分边界谴责处于边界之外的某种东西”，这其中渗透各种形式的自我中心，更值得警觉的是将这种边界划分视为理所当然及其对非法性的缄默。

制度决定了很多，制度建设最需要智慧，从洛克、培根以来，非常注重制度建设，而我们相对太贫乏，制度在很大程度上保证社会的公平、合理、有效，保证每个人最大限度发挥潜能。

美国学者加尔布雷思认为，好社会的基本内涵是：所有的公民必须享有个人自由、基本的生活水准、种族和民族平等以及过有价值生活的机会。“好社会”奉行的主要原则是：社会向人们提供公平的机会，在机会面前，谁也不得排斥在外而沦入丧失收入、无家可归和有病无处医的地步。

他还认为，凡是国内安定、政府还能行使其职能的国家均应把教育置于首位。必须为教育——学校经费、教学设备、教师工资、特别是教师的培训　　提供充足的资金。有形投资需要的资本可以很容易地从一国流向另一国。而发展教育所需要的教师则相对固定。建立一支国际教师培训队伍——教师的教师——是经济发展的主要条件之一。一切政策必须以教育为中心。这里要再次强调其他地方讲述过的一点：在当今世界上，没有任何一国受过良好教育的人民是贫穷的，也没有任何一国愚昧无知的人民是不贫穷的。在民智开启的地方，经济发展自然水到渠成。只有这时，向这些国家提供发展援助才会真正奏效。

“好的社会,并不在彼岸,而就在当下,在人们对现实的认真选择和积极努力之中。”

假如我们也能这样看待理想，多多地实事求是地检讨自己的现实，指摘它的缺陷弊端，设计改进的方案,搞清楚要抛弃什么、保存什么和创造什么,那么,好社会一类话题于我们,同样不会是一种想象性的对象,反之,会成为实实在在的未来(〔美〕加尔布雷思:《好社会:人道的记事本》)。

笔者呼吁一切正直和有远见的人们，更多地关注农村教育，因为这是建立一个更加美好的社会不可或缺的方面和努力。

玖

有所执着

YOU SUO ZHI ZHUO

46 宽容

倘若我们的观点遭到猛烈的抨击，我们的行为遭到别人的非议，我们仍然能够从容面对，并能反身而诚、反求诸己，而不是气急败坏，甚至暴跳如雷，那么，我们就有了一种胸怀，一种境界，一种精神气质，那就是宽容。

宽容的深刻含义就在于：对自己所认同的对象也能抱以审慎的态度，而对别人所信赖的事物又能假设它确有合理之处。不以宽容精神行事，必然导致偏执。而偏执不仅会使原先有益的东西变得有害与可恶，还往往会以拙劣压制优秀，以腐朽抗拒神奇，以僵化排斥创新。

凭藉着对人类历史广博精深的了悟，心宽体胖的房龙曾写道："从最广博的意义上讲，宽容这个词从来就是一个奢侈品，购买它的人只会是智力非常发达的人。"由此看来，在人类的精神领域中，也有着一条"一部分人先富起来"到"共同富裕"的必由之路。祈祷着宽容早日成为"日用品"。

尽管宽容难以完全避免对于罪错的迁就、姑息和纵容，但我们仍不能因噎废食，因为在教育中，宽容比惩罚更具有力量，它对于造就健康人格，培植宽容、真诚、信任与正直的品质，有着不可替代的价值。

诲人“恭宽信敏惠”、“温良恭俭让”的孔夫子曾自诩“六十而耳顺”，西哲黑格尔也曾云：老年人是较能宽容的。原因恐怕就在于老年人已是历练人生，见多识广，见怪不怪，更能接纳人类广阔无限的多样性。这正如罗素所感悟的：个人的存在应该像一条河——开始很小，局限在狭窄的河的两岸，汹涌奔腾，经过巨石，越过瀑布；渐渐地，河面变宽，两岸后撤，水流平缓，最后溶入到雄浑浩博的大海之中。

青年人是最需要被宽容的。他们初出茅庐，棱角未钝，往往锋芒毕露，咄咄逼人；而宽容、宽松、宽厚，给人以安全和融洽，更宜于个性自由全面的发展。青年人也最需要以宽容精神来行事。个性的健全和精神世界的丰富，需要有海纳百川的胸臆与襟怀。正如不挑食是生命力旺盛的表现，忌食过多则是生命力衰微的征兆；宽容是人格强健的确证，而不宽容则是人格萎缩的表征。

宽容，最重要的是对富于个性的人与富于个性的思想的宽容。个性就意味着差别和多样化。而多样化总是优于单一化的，因为多样化包容了即使是最好的单一化。只有接纳多样化才能宽容个性。对于富于个性的人及富于个性的思想，仅仅宽容仍嫌不够，还应该努力发现并珍视这种个性中所包含的极其宝贵的因素。

宽容作为一种道德品质，当然也应该是人们自行选择的结果。也就是说，待人待事，选择宽容或者是不宽容，这是个人的事情。尽管宽容是一种十分宝贵的品质，值得大力提倡，我们却不能强迫别人宽容，因为这本身就是与宽容的精神相悖的。

47 偏激辩

人们常把一些与“正统”观念存有较大差异的思想斥之为“偏激”。“偏激”是否就无可取之处而需要大加打压呢?非也!

纵观人类思想发展史，人们不难发现，正是由于“偏激”的思想将某一绝大多数人尚未意识到的问题提到十分突出的地位,才引起人们对它的重视和研究;一种极端偏激的思想往往能导致比较正确的结论，真理就存在于由两个极端所构成的连续体的某一点上;“偏激”的思想每每孕育着新的观念,并以其特有的犀利冲破旧的观念的藩篱,推动着思想的进步。

譬如,实用主义教育家杜威提出的“进步教育”的理论,全盘否认传统教育的“三个中心”(课堂、教材、教师),鼓吹“儿童中心主义”,并且把这一“中心”的移动比做像“哥白尼革命”把天体中心从地球移到太阳一样具有重大意义。他的思想,且不说在当时,就是在今天看来也是十分“偏激”的。然而,他对传统教育振聋发聩的批判,一时形成了探索“进步教育”理论与实践的热潮,有其进步意义。

又如,在影响人的道德品质形成因素的研究上,行为派心理学家强调道德实践的作用，认知派心理学家则重视道德认知的作用。二者各执一端,也都是不无偏颇的，用其中的任何一派来指导实践都是难以取得理想的效果的。然而它们却各自分别有助于道德品质中作用的深入研究，有助于形成各具特色的理论流派。类似这样的例子在各学科中都是屡见不鲜的。可见，对偏激的思想简单地加以否定并不是可取的态度。

偏激的观点，难免有不大成熟或不够完善的地方，甚至包含着错误，但毕竟比那些老生常谈、人云亦云、四平八稳、毫无棱角的观点好得多。况且，在探索真理的过程中，犯错误并不可怕，真正可怕的倒是害怕自己犯错误，又不允许别人犯错误。人们不应该因惧怕思想偏激而束缚自己的思想，也不应将与自己的观点存有差异的思想简单地斥之为“偏激”而加以否定。如果一个人连偏激的思想都不能宽容，那当然就更不可能去指望他尊重异端的权利了。而在一个异端的权利得不到尊重的社会，最好的情况也只能是“多数人的暴政”。

偏激的思想往往有着“片面的深刻”，它较之于四平八稳的平庸，对于思想与学术的发展都有着更多的价值。它带给我们的是警醒，是理智的挑战和内心的震撼，是新的视界的凸现。我们说教育是一个寻求解放的过程，一个从狭隘走向广阔的过程，而偏激的思想对于解除头脑的僵化、精神的禁锢、思维的定势，很多时候都是一剂良药。

“与其重复一句正确的话，还不如试着说一句错误的话”，这对于培养创新意识和创新能力尤为重要。说大家都说的话，是最安全的，也是最省事的。当然个人也就只能淹没在众人之中，隐而不彰。个性的凸现、主体性的彰显，就都成为不可能。这也就是造就“会说话的工具”的最好方法。

偏激的思想往往也就是尖刻的思想，极端的思想，甚至是危险的思想。而这种思想是不易得到人们的认同和赏识的。王尔德说得明白："人们对于苦难表示同情是很容易的，要他们对思想怀有同情则非常困难。真的，一般人对究竟什么是思想了解得太少了，他们似乎以为只要他们说那种思想是危险的，就等于给那种思想定了罪，其实正是这些思想才具备真正的才智价值。大凡不危险的思想都是根本不配叫做思想的。"(《评论家也是艺术家》)

专制主义者最听不得不同的声音。因为不同的声音有可能揭穿他们的谎言，威胁到他们的利益，所以他们总是要限制人们的思想自由和言论自由。而在一个缺乏健全的民主制度和广大的民众没有养成民主性格的国度中，每一个人都是一个潜在的专制者，只是有没有机会的问题。所以为了培养民主的性格，为了让更多的人有着宽广的胸襟和怀抱，学会从不同的角度看待问题，学会用自己的头脑去判别，让我们的学生从小就习惯于不同的声音，见识各种各样的观念与思想，无疑包括偏激的思想，当是十分重要的。那就更不用说，倘若某一偏激的思想，有助于拓新人们的观念，或是有助于活跃学术气氛，或是有助于形成具有特色的学术流派，就理当受到热情的肯定。

有所执着

一

西西弗得罪了诸神，诸神惩罚他将巨石推上山顶。由于巨石自身的重量，它总是要重新滚下去，西西弗又必须下山再把巨石推上去。诸神认为再也没有比进行这种无效无望的劳动更为严厉的惩罚了。而对于他，朝向山顶所进行的斗争本身就足以充实人生：这块巨石上的每一颗粒，这黑黝黝的高山上的每一寸土地，只有对他才构成意义。应该认为，西西弗是充实和幸福的。有所执着，正是这样一种淡泊中的跋涉、退避中的追求，一种刚硬的精神气质，一种壁立千仞的节操。

二

不论你是蛰居于象牙之塔，还是高踞于庙堂之位；也不论你是奔波于闹市通衢，还是栖居于田园山水，只有有所执着，才能对常人眼中的得失、毁誉在所不计、无动于衷，才会有一种笑傲人生的旷达与潇洒。

三

现代人解脱了传统社会种种条规的束缚与禁锢，可能也必须独自面对世界——一个人们有了更多需要也有了更多满足需要手段的世界。在纷繁的世界面前，现代人也就有了更多无所执着的空虚与无所依傍的孤独。也正因为如此,有所执着才成了现代人渴求的精神品质。

四

有所执着是对某种生活方式理智的皈依。倘若一种教育,不能凭借教育者人格的力量和真理的力量,造就出一种有所执着的精神气质,那么,这种教育便是一种失败的教育;倘若一种教育,在受教育者尚未具有理性的、自主的选择能力之前,先入为主地向他们灌输某些信条,而这些信条本身又是荒谬和伪善的,那么,培养出来的人不论怎样虔诚地信奉,那也不是执着,而是蒙昧和愚顽。

五

执着是一种真诚的、全身心的投入与倾注。这种投入与倾注的对象,便是我们所谓的事业。茫茫人海中,某些人有职业,却没有事业;某些人有事业,却没有职业;有些人既没有事业又没有职业;某些人事业和职业是相统一的;某些人事业和职业是相分离的。由此观之,各色人生,大抵如此。

片思偶得 49

一

我们可以列出一大堆读书如何好的理由来。然而,任何事物都有其两面性。读书也是可以平添许多忧患与焦虑的。譬如,对“我是谁?我们从哪里来?又要到哪里去”等形而上问题的困惑,对超越个人和个人所归属的小团体的私利的公共事物的关注,对整个世界公平与正义的关注。

况且,读书是一个人“文化化”的过程。而这个“化性起伪”的过程也就是日益消蚀其野性的过程。因而,读书虽可使人在人格上强健,却也使人在本能的意义上文弱。书生总似乎与“文弱”有某种必然的联系,而极少能与强悍、武勇沾边。如果说“有笔有书有肝胆”尚可做到的话,而“亦狂亦侠亦温文”要做到就有些不易了。这大概就是书读得多且读得好的人被尊称抑或被戏称为“文人”的原因吧。

自近代以来,中国知识分子就是一个经受着情感与理智冲突最为惨酷的一个阶层。“愁极本凭诗遣兴,诗成吟诵转凄凉”(陈寅恪)就是一个写照。在西方文化咄咄逼人的挑战面前,由于根深蒂固的民族情结,总是无法摆脱一种世界化与民族化之间悖论性的焦虑。在诸多问题上,都陷入一种犹如一个壮汉力图挑起一担筐而双脚却又正好踩在筐里的尴尬之中。

然而,无论如何书还是要读的。不是,至少不仅仅是为了功业的需要,而在很大程度上是兴味使然。读书是读书人的生命积极的存在状态,是其生活方式的重要组成部分。怕也正因为有一代又一代读书人的存在,人类才能逐渐由野蛮走向文明。

二

理解人是一种能力,也是一种人间情怀。思想和人格修养较高的人比较容易理解比他低的人,反之,则不然。这正如我们站在高处,比较容易看清低处的物体;而站在低处,仰视一座高山,你总是只能看到这座山的一个侧面,至于山顶的情状及山那面的风景就纯然只能凭借想象了。

同一层次的人,只要去变换一下视角,并能将心比心的话,理解对方是不难的,关键在于看你是否有去理解对方的兴致与情怀。

理解和爱一样,可遇而不可求,刻意寻求别人的理解,是个体不够自信或不够有力或无所依傍的表现。真正的智者,对于别人对他的不理解,他倒是能够理解的。

对于知识阶层的人来说,愈少地被人理解,也就愈觉其理解的珍贵。所以,中国传统文人总存在着两种貌似对立的心态:孤傲清高与对友谊的无比珍视。从《诗经》“嘤其鸣矣,求其友声”到《论语》的“有朋自远方来,不亦乐乎”;从陶渊明所追求的“奇文共欣赏,疑义相与析”的境界,到王勃表现出的“海内存知己,天涯若比邻”的宽广襟怀;从龚自珍对故交“照人胆似秦时月，待我情如岭上云”的深情赞誉，再到鲁迅真情流露的“人生得一知己足矣，斯世当以同怀视之”的慨叹，表现的都是因获得理解带来的内心的敞亮。

50 琐事偶忆

C君与第一任女友L如胶似漆，令人称羡。不料有一外籍留学生钟情于她，L经痛苦抉择，终移情别恋，不久即随夫婿飞越重洋。第二任女友W毕业后到一家旅行社做导游，又遭外国男子竞相追逐。她也曾奋力抵挡，但终于败下阵来。一日路遇C君，谈及此事，我本想宽慰几句，没想素来十分痴情的他已变得颇为潇洒，曰："这些年来，我不只是在与单个的男人作战，而且是与整个西方文化抗争，哥们也算得上民族英雄了。"

那年冬日的黄昏，与女友一道由西单去王府井。路上，因小事而闹别扭。下车后，在地下通道口，看到一盲人拉着二胡，面前放一盛钱的盒子。我掏出些钱放在盒子中。悻悻的女友正好回头看见，停住了脚步。当我走过她身边，她亲昵地挽起我的胳膊，说："看在你善行的份上，请你吃麦当劳。"相拥着走出通道，华灯初上，夜色正好。

某日，与同乡神聊，正兴头上，有人来访，同乡忙予介绍。此君向我表示了诚挚的友好和礼貌，而我在礼节性的敷衍中有着一种不易为人觉察而自己分明感觉到的傲慢与冷淡。在他谦恭有礼、教养极好的举止面前，我感到歉疚和渺小。不久，我即起身告退，为了释解心中的不安与愧怍，我真诚地表示了友善和热忱，不期然地发现寸心未钝，暗自庆幸。

去年深秋，在人民大会堂“中美教育问题研讨会”的开幕式上，当大厅中回响着美国国歌时，在场的200多位美国代表随音乐一齐轻声地唱了起来；随后，大厅中回响的是《义勇军进行曲》，在场的中国代表无一例外地沉默。我生平第一次深切地体会到中西文化的差别。这唱与不唱，仅仅是文化的差别么?仅仅是美国人热情奔放的民族性格与中国人“中正和平、含蓄清淡”的民族性格使然么?我一直在想……

做学生时，记不清犯了什么规矩，老师把我叫到办公室。开始他还平和地对我晓之以理，渐渐地，面孔变得阴森严峻，措词也愈益尖酸。起初，我小学生般的洗耳恭听，后来，仿佛觉得受训的不是我，木然地看着他，只见到两片厚厚的嘴唇在不自然地张合。那本来还颇为熟悉的面孔，变得那样的陌生。我当时就在想：以后自己做了教师，绝不居高临下地教训学生。且不说自己能否一定比别人高明，就单说那种冠冕堂皇的词句中又有多少是出自真诚呢?

51 心存感激

我们应该心存感激，对我们拥有的一切。

我们生活在先辈们用智慧和汗水改变了的世界中，我们远离了蒙昧和野蛮，远离了茹毛饮血、风餐露宿的时代。我们应该对我们的先辈，心存感激。

我们不必去捕鱼狩猎，却能品尝到美味佳肴；我们不必去采桑织布，却能享受到锦衣华服。我们应该对我们的同辈，心存感激。

当我们还是襁褓中的婴儿时，我们是极易夭折的；当我们青春年少不谙世事时，我们也极易误入歧途。今天，我们能强健而正直地生活着，我们应该对那些在我们生命历程中用关爱扶持我们的人，用智慧启迪我们的人，用美德陶冶我们的人，用真情沐浴我们的人，心存感激。

多一份感激，就少一份贪婪与抱怨；多一份感激，就少一份自大与冷漠；多一份感激，就少一份苛刻与虚荣；多一份感激，就少一份索取，多一份奉献。

心存感激，是一种朗朗的心境，一种人性的光辉，天空因此而变得湛蓝，空气因此而变得湿润，美好的事物因此而变得离我们很近很近。

52 闲适

别将生命之弦绷得太紧,留一份闲适给自己。

闲适不是慵懒,不是无所事事的光阴虚掷。它是生命积极的存在状态,是生活意趣的尽情挥洒,是没有喧嚣与逼仄的心理空间。

急功近利时,不会有闲适;心存芥蒂时,不会有闲适;欲壑难填的人,不会有闲适;老谋深算的人,也不会有闲适。

闲适, 在蓦然回首的追怀中, 在悠然心会的禅意里。

理性的顿悟,灵性的升发,需要闲适;心灵的舒展,视界的敞亮,也需要闲适;创意,往往在闲适轻松时翩然而至;情趣,也每每在闲适从容中一展风采。

留一份闲适给自己,享受生命的从容与韵律;

留一份闲适给自己, 聆听心灵的悸动和低语。

53 大学真好

在溶溶的月色中，独自一人在校园幽静的小道上漫步,感到内心的恬淡与怡然,感到生活真好,大学真好。

刚参加工作的头两年里，当与某些从事其他职业的故交晤谈中,感受到他们的富有与得意时,心中不免有一种失落和怅惘。渐渐地,随着对大学生活体验的丰富和深刻,便日益觉得当时那种情绪的肤浅。而今,当我那些面临毕业分配的朋友,在择业的问题上,征求我的意见时，我便会很真诚地向他们历数着大学的种种好处。

在大学里,你有的是闲暇(闲暇是一个人自由发展的空间)。你有的是时间去尽情欣赏齐秦、童安格的嗓音,品味蒙田、惠特曼的情致,涉足维柯、卡西尔的理论大厦;你还有时间,有时间去感受古代神话动人的真诚和诗意的光辉，去领略科幻小说撩人的憧憬和世界的诡奇;你还有的是时间:既可去建构纵横捭阖、“通古今之变,成一家之言”的鸿篇巨制,也可以创作意态潇洒、“暗香浮动奇思涌发”的闲文小品……你可以将自己的禀赋与才情淋漓尽致地发挥出来，而这最需要的是心境的闲适与安祥——这也是大学生活所能给予你的最丰厚的酬报。

在局外人看来，大学生活是狭窄的。的确，你可能无缘结识那些政坛名流、商界大亨，你也可能难得有机会遍游名山大川。而在你的“陋室”，却尽可以“谈笑有鸿儒，往来无白丁”；你也可以领略到“书中乾坤大，笔下天地宽”的意趣；当你看到年轻的大学生洋溢着生命鲜活的脸庞与身姿，你岂不是更能感受到人性的真实与美好？当你看到教室中学子们渴求知识的眼神和图书馆里幽香、精美的图书，不也觉得是一种怡人的景致？

你的确可能很清贫，但你一点也不卑微。在心地和头脑都很正直的人们眼中，教师是智慧与德行的象征。无论如何，大学教师是一个体面的职业吧。在众多的职业中，它也是最易于与事业相统一的。你当对孔夫子自铭“乐以忘忧，不知老之将至”的话有更深切的体认。在每一节课，你都可以酣畅地发挥你的思想，你可以在貌似徐缓的清谈之中蓄满渊雅的学识，导引着年轻的心灵作一种富于哲理与情趣的精神漫游，在振奋别人的同时振奋你自己。“教，然后知困”、“知困，然后能自强也”，教学是你不断自我完善的强大动力。

在大学，你既可以宾客盈门，而同时践履着“君子之交淡于水”的人生格言；你不必为人情所累，不必为你身边的婚丧嫁娶劳心费神；你也可以“躲进小楼成一统”，沉溺于冥思遐想中；你既没有纷繁人事的搅扰，也不必在师长面前唯唯诺诺、曲意逢迎；你尽可以把内心的激越、收获的快慰、莫名的感伤、情场的失意统统化作歌声，交给畅饮；尽管你可能十分与众不同，周围的人却不会对你有太多的指指点点……在这里，没那么多的人生羁绊，要说个性的张扬、品格的纯正、心境的澄澈,大学真不失为一方乐土,你能不觉得大学真好?

倘若我们站在大学讲坛上,不单单是由于“得天下英才而教育之”的使命感的驱使,而是同时能真切地感受到校园文化的宽松与高洁,感受到生活的明丽与清新,我们岂不会来得更加执着和潇洒?

如果再给我一次机会,我想,我还是会选择大学教师这个职业的,因为我真诚地感到:大学真好!

拾

真诚的言说

ZHEN CHENG DE YAN SHUO

54 真诚的言说

在国内诸多的教育刊物中，思想最新锐、可读性最强的刊物，当首推《教育参考》与《素质教育博览》。

我一向认为，秉笔直抒、直面心灵、“铁肩担道义”的文字，表达浪漫情怀、呼唤真诚、讴歌善良的文字，永远有着不可漠视的无穷魅力。而在《教育参考》上，在《素质教育博览》上，就能经常读到这样的文字。

在这充满喧嚣与躁动的世界上，谁还能给我们一句冷静的忠告，让我们明了影响我们成功与失败的因素？谁还能给我们一双利眼，让我们透视幸福与不幸背后的真实面目？《教育参考》的《新视点》、《素质教育博览》的《名著重读》。

您不妨在忙碌了一天以后，在沉沉的夜色下，在漫漫的长夜里，挑一盏孤灯，或伴一杯香茗，仔细阅读《教育参考》或是《素质教育博览》，相信它会给我们带来意外的收获。让长久躁动的心暂时安静下来，聆听那些历尽世间风雨的智慧老人娓娓道来、如数家珍的言说。恰似夜半江上传来的杳杳钟声，清悠绵长，给世人焦灼的心田以清凉的抚慰，让孤独的旅者警醒，在静夜中仔细思考教育以至人生的哲学问题。

中国几千年的封建专制统治所推行的愚民政策和小农经济的狭隘性，使得我们缺乏深厚的理性精神的教养。在笔者看来，理性精神包括这样两个方面的含义：一是理智的好奇心，强烈的求知欲，寻根究底的探索精神；二是批判精神，怀疑精神，不轻信、不盲从、不唯书、不唯上的实事求是的科学态度。俗话说得好，谣言止于智者。谣言之所以能够止于智者，是因为智者不会轻信，总是习惯于用自己的头脑去分析、去判别。

具有理性精神的人，一定是拒斥独断论的人，一定是学会尊重少数、个别、弱势群体，学会尊重不同的意见，学会尊重人们捍卫自身权益的权力，学会尊重异端的权力，学会宽容，学会对于自我的立场、观点和趣味保持审慎的边界意识，学会对自我的行为、观点所依持的立场进行反思和检视，以防止过分的自我中心和自我膨胀。在笔者看来，中国思想界、知识界，甚至包括整个社会，都非常需要后现代思潮的启蒙和洗礼；我们大多不习惯于对事物本身进行描述，当我们对问题本身还缺乏足够的理解和把握时，我们往往就妄下断言；独断论的背后是个人中心和文化专制主义。

拥有知识并不见得就拥有教养。只有当知识转化为个性特征和人格特征时，只有当知识转化为行为习惯并体现在日常生活的细节之中，知识才成为了个人的教养。

多少年来，学生一直有意无意地被看做是需要说教和灌输、缺乏选择能力和选择余地的人的集合。难道独立的、自由的思想真是危险的吗？难道我们真要培养一些放弃理性判断、放弃“独立”与“自由”、放弃自主思考与选择的权利、奴性十足的“驯服工具”吗？要知道，这是与民主、自由的价值观毫不相容的，是与先进的文明背道而驰的。

我们有必要重温罗斯福总统为了切实保障美国人民的人权而提出的“四大自由”:“思想自由、信仰自由、免于恐惧的自由和免于匮乏的自由”;我们也有必要重温启蒙思想家伏尔泰的那句名言:“我坚决不同意你的意见,但我誓死捍卫你发表意见的权力”;我们还有必要重温卢森堡的名言:“自由从来就是持不同政见者的自由。”我们的社会中总是有一些人老是担心民众企图“犯上作乱”,于是,就像缺乏自信而又多疑的男人怀疑其妻子红杏出墙而备加防范,甚至不惜用盯梢的办法来监视其一举一动。当一个社会过分强调“与权力的拥有者保持一致”时,就少不了“揭发、告密和陷害”。只有当一个社会的共识、轨范是建立在尊重人权前提下的法制基础上时,它才是真正安全和健康的。

其实,蔡元培先生早就告诫我们:“教育是帮助被教育的人,给他能发展自己的能力,完成他的人格,于人类文化上能尽一分子的责任;不是把被教育的人,造成一种特别器具,给抱有他种目的的人去应用的。”(蔡元培:《教育独立议》)有人往往以为自己真理在握,或干脆是真理的代表,以权威自居,不许反对意见有反对的余地,其结果是无形地限制了自由思想的空间,给专制主义预备了必要的精神土壤。其实,只有在开放的环境中,只有在充满挑战与思想碰撞的氛围中,新的思想的生发,新的理论的创获,才是可能的。而且,对真理的执着追问以及对于生命意义的强烈诉求,即思想自由和信仰自由在个体精神世界中的确立,是教育的重要鹄的。

“权力即真理”导致的只能是人身依附、奴性人格:不是对真理的敬服,而是对权力的惧怕。在这样的文化氛围中造就的只能是苟合取容的势利小人，而不是敢于担待、仗义执言的大丈夫。如果一个社会缺乏自由思想的空间，缺乏深入思考的思想资源，充斥着假话、空话、套话、官话、原则话，没有个性、没有灵性、没有棱角、没有灵魂的话，要指望人们能够说出有感染力和冲击力的话，作出有诗意、有深度的命题，人文学科能有吸引力，的确是不容易的。

而《教育参考》、《素质教育博览》所力行的自由言说的办刊宗旨，带给我们的是平等的对话，思想空间的广袤和智慧的开启。要知道，身心的安顿始于智慧的开启，中间经过烦恼、恐惧、反思和彻悟，然后越过生死的大河流，有了一个清静不动的境界(涅槃)。一切的究竟源于智慧的开启，智慧促使众生认识到人生的无常、体验到人生的难得、相信因果的真实、看清生命的痛苦，于是才会渴望拥有一颗幸福、从容和梦想的心。当我们产生平等心，用完全开放的心胸和更广大的包容心看待事物时，也就拥有了慈悲的胸怀。

我也十分高兴地看到，许多中小学教师的文章写得非常之好，他们感受细腻、新颖，思想独到、深刻，表达流畅、舒展。我坚持认为，听课是学习，读书是学习，写作也是学习，而且是更有效的学习，因为写作使得阅读不能满足于泛泛浏览，而必须是一种研读；养成写作的良好习惯，也会使我们更用心地品味生活，洞明世事，从更广阔的生活世界中捕获到益人心智、怡人情性、滋养人生的知识与信息。

55 创造适合学生的教育

广州市沙园中学“自主发展”的德育模式探索课题,无论在理论梳理与提升,还是实践经验的反思与积累上,都取得了令人欣喜的成果。这一成果对于鼓舞全校师生更加积极地投身于使学校面貌焕然一新的校园文化建设中,有着重要的意义和价值。

如何使一所生源较差的学校成为一所教育界同行、领导、家长和学生共同认可的学校,这是一项十分有挑战性的工作。沙园中学在钟校长、王书记的带领下,自觉地、坚持不懈地开展课题研究,以在课题研究中提出的“促进学生自主发展”的思想武装教师和凝聚教师,明确办学的方向,这本身就是值得肯定和倡导的。

教育是一项需要爱心的事业。这个爱心首先表现为强烈的事业心,舍得投入和付出。一些学生学习品质差,甚至有一些不良的行为习惯,这是更需要我们的教师用更多的关爱去感化和帮助的。任何轻视、嫌恶,只会使他们自暴自弃。把一个智商优秀、学习品质良好、家庭背景好的学生,培养成一个全面、和谐发展的人,这也许并不困难;而要把一个智商一般、家庭背景一般、学习品质差的学生培养成一个乐观的、文明的、好学上进、学业优秀的合格的初中毕业生,就很不容易。

也正因为不容易，才更显示出我们的工作的难能可贵。可是令人遗憾的是，我们的社会把太多的资源、太多的荣誉投向了那些生源好的学校，而本来需要更多支持的学校却得不到应有的机会。

每一个人都是独特的，个体就意味着差异。没有理想的学生，但有理想的教育。我们不是要用一个统一的标准去衡量每一个学生的发展程度，也不是要用一个统一的标准去衡量所有学校的办学水平。我们更应看重一所学校带给学生的“成长度”，也就是看这所学校在学生原有的基础上使他们获得了多大程度的发展。

我想，“自主发展”应该成为我们整个教育的自觉追求。因为教育的真义就是价值引导与自主建构的统一。也因为只有学生的自主发展，才能促进学生积极地、乐观地面对生活与世界的品质和能力；也只有学生的自主发展，才能培养学生终生学习的兴趣、愿望和能力。而这是比学生获得一些具体的“知识”重要得多的。

让学生在学校中，以至走向社会或者升入高一级学校以后，能够安全地生活、健康地生活、文明地生活、负责任地生活、有尊严地生活、有爱心地生活和有创意地生活，就应该是我们教育的重要日标。我相信，沙园中学在全体教师的努力下，一定会使我们的学生学会关注生命、尊重生命、欣赏生命和敬畏生命，成为幸福生活的创造者和美好社会的建设者。沙园中学的明天，沙园中学全体师生的明天会更美好！

让我们一道乐观地期待，一道从点滴的努力开始！

56 边想边说

《边想边说》意味着这些文字并非深思熟虑的产物，因而可能非常单薄、非常零碎、非常杂乱。当然也可能较为鲜活、较为灵动、较为率真，从而给读者留有十分广阔的质疑、修正、丰富、深化和阐释的空间。一个时代的思想总是因为自由言说和自由交流而变得丰富、深刻和富有生命力。

1. 许多受过大学教育的人，仍然不会写文章，拿起笔来，才思枯窘，觉得没有什么可写的。原因恐怕就在于缺少生活，缺少体验，缺少思考。一言以蔽之，缺少生活的积累与学识的积累。在杜威那里，“生活”与“经验”是同义语，理由就是“生活”就意味着生命过程的独特性、亲历性和创造性。我们常常把一个人的“亲历”、“阅历”、“经历”视作一个人的资历的重要组成部分，也就可以看出，人们对“生活的积累”还是相当看重的。

2.写作就是“展示真我的风采”。如果缺乏真诚，只有一些要小心翼翼地护卫的面具，真正的写作当然就不可能。学者的独立人格表现为不随声附和、不曲意逢迎；坚持自己的独立判断和服从于自己的学术良知；另一方面也表现为不“为赋新词强说愁”，不为“标新立异”而故作惊人之论；不哗众取宠，不装腔作势；自觉地与“长官意志”保持距离，并能对此作冷静的、理性的审视与分析。

3. 张文质有言：“‘写’有时候会滋长一种‘自恋癖’。”(《唇舌的授权》)这与常言道的“文章是自己的好，庄稼是别人的好”有异曲同工之妙。还有一种版本的说法是：“孩子是自己的好，XX是别人的好”，文章和孩子可以相提并论，可见文章在我们生命中的意义。原因恐怕就在于写作会使得人们对于自我的内心有更多的眷顾，更多的发现和更多的欣赏。

4.打动人的文章，打动人的演讲，都需要有真情性。没有真情性，就只能是“声音模仿者”。真情性源自敢于担待的品格，源自一种任其自然、随遇而安的生活态度。为什么这么说呢?那就是你不会刻意追求一点什么，你相信生命在任何情形下，都会获得成长，都会日渐丰满。

5.社会上，人们热衷于讲权术、讲技巧、讲究“经营策略”、讲究处世伎俩，就是不讲个性魅力与人格魅力，不讲真情，不讲真诚，不讲真情性。虚假、虚伪、虚饰与虚夸，仍是今天我们社会中较为普遍的现象。

“他引人注目地缺乏魅力”，这话是波得莱尔说的，用它来评价一些明星，包括政治明星是太恰当不过的。看来，出镜率不能打造魅力。魅力源自实力，正如一句广告词所说的“有实力就会有魅力”。对于政治家来说，实力就是政治远见、政治谋略；对于商人来说，实力就是经营理念和商业利润；对于演员来说，实力就是表演天才；对于教育家来说，实力就是对于人的洞察力，就是教育智慧。

6.语文教学的重要目标就是培养学生对于语言的

敏感性。对语言的敏感性,比如看到“自由”一词时,在我们内心深处引起的是无限的遐思和热烈的向往,联想到广大、无限、宽阔、高远,联想到闲适、舒展、从容、优雅,联想到自主、尊严、多种选择与责任,联想到宁静和平、无拘无束、天马行空、挥洒自如。当我们看到“大地”一词时,就联想到果实、丰收、生命、植物,联想到“日月经天,江河行地”,联想到四季、耕耘、收获和劳动,联想到厚重、坚实、质朴和宁谧,联想到我们脚下的这块土地——生养我们的故乡和祖国。

7.在中国社会中,作为普通人是没有资格、也没有资本来自我欣赏、自我肯定的,而只有自我贬损、自我压抑的份,正如鲁迅先生指出的:中国几千年来,只有爱国的自大、集体的自大,而没有个体的自大。

为什么不能把别人的自我肯定、自我欣赏当成对我们的激励、一种建设性的挑战呢?真正谦和、谦逊、谦恭的人,是能够接纳别人的自我肯定和自我欣赏的,因为他们真正具有“海纳百川”的胸襟和怀抱。

当我们对别人的自我肯定、自我欣赏报以轻蔑、反感的态度时,反映出的只是我们自己的狭隘。而狭隘是与自私、人格弱小、鼠目寸光、胸无大志、卑琐怯懦、嫉妒、平庸、小家子气等相联系的。为别人的成功喝彩,真诚地分享别人成功的喜悦,这才是大家风范。

8.“保卫童年”是一个富于诗意和高贵的思想。童年总是与童心、童真、童趣、童言无忌联系在一起的,因而令我们特别怀念。在许多成人的眼中,儿童的内心世界是贫乏的、简单的。其实,这很可能只是由于我们的无知。科学的观察和研究就表明,即使是婴儿也决不只是一个客体。就外部活动而言,婴儿是亲子互动的积极参与者，并且对监护者同样具有很强大的影响力；就内部活动而言，婴儿也拥有超乎我们先前所想象的复杂的内心世界。回忆童年，是我们走进童心的可能方式。

教师对于学生的真诚的关爱，也许就是凝聚在默默无言的耐心等待之中。

9.在教育中，重要的不在于让学生记住了什么，重要的是我们所获得的文化的浸染、精神的陶融和理智的启悟。所以，“意义的发现”比之事物的科学描述更重要。充实、纯洁的精神生活就是让儿童了解广阔的世界、往昔的时代、他人及自然与自我的关系，建构自我与世界的丰富关系，感受到人类智慧的高妙和伟大心灵的美好与深邃，从而使学生感悟到世界的一切都与我们息息相关，感悟到“生活没有旁观者”这一朴素的真理。

10.高扬教育的理想与信念之所以必要，就因为它是与人生的理想相联系的。一个人如果只将脑袋埋在饭碗里，又怎么能看见远方那些飘逝的云朵呢？正如艺术家注目的是美，经济学家注目的是利润，教育学家注目的当是人的成长；他必须回答理想的人的形象，以及如何有效地促进人的成长。

11. 人们愈来愈依赖于外在的名分来对自我进行定义，而缺乏自知之明。除了一大堆的社会角色、各种头衔，人们便无法确证自我。人成为了盛装各种面具、道具的容器。不是有学问就能成为“博导”，也不是一定要有学问才能成为“博导”，但“博导”似乎是有学问的代名词。在这样的社会中，我们的教育也愈来愈失落了对自我的灵魂拷问，疏离了“反躬自省”之学。其实，很有必要经常地想这样一个问题：对于假冒伪劣产品我们都深恶痛绝，那么，对于一个徒有其表、浪得虚名的人，我们又将如何看待呢？

12.“不要紧，下次努力就得啦！”香港青少年协会曾经公布一项调查显示，这是孩子们最喜欢父母说的一句话。给孩子过多的压力，虽然也有可能使他们取得某些方面的成绩，但在其性格中很可能缺少了和谐、优雅和高贵的修养。

13.办好一所学校，需要有三大支柱：一是一个优秀的校长和以他为核心的廉洁、公正、富于明确的教育追求与凝聚力的领导班子：对于学校的领导和管理，首先是教育思想的领导和管理，其次才是行政的领导和管理(苏霍姆林斯基)；二是一支高素质的教师队伍：大到国家的教育方针政策，小到学校的规章制度，都要靠教师去落实和体现；三是有为教师的发展和学生的成长所提供的丰富的读物以及丰富多彩的教育活动。尽管一些硬件的建设(如校舍、体育场、语言实验室、校园的网络建设等等)也十分重要，但相对以上三者来说，仍是次要的。

14.校长首先应该是一个精神领袖，其次才是行政领导。领袖不是自封的，而是由其卓越的个人影响力自发形成的，这种影响力来源于人格魅力——善良、真诚、宽容与正直，来源于个性魅力——独特、纯净、丰富与深刻。能够成为一校之长，应该说至少是衣食无忧，完全可以追求一点自我实现，追求一点人格魅力与个性魅力。校长应该有自己的阅读计划；没有广泛的阅读，就没有广阔的精神空间，就没有丰富的激活我们创造冲动的因素。

15.“一个好的校长就是一所好的学校”，这句话试图说明校长的极端重要性。校长作为学校的核心人物，他的重要性就体现在他是教师团队中“平等中的首席”，而不是凌驾于教师之上，可以盛气凌人、专横跋扈、独断专行的。校长的作用就在于不断地培养教师，特别是培养教师中的领袖。有眼光的校长，一定是热心支持教改的校长；有进取心的教师，一定是热心教改的教师。

16. 对学生抱有信心即学校相信他们具有学习好的能力。假设有人表示相信我们的能力，并要我们完成艰巨的任务，我们这时的感觉与另一个对我们缺乏信心、降低标准并让我们完成简单、平凡甚至蔑视性任务时的感觉会全然不同。同样道理，有效力的学校同没有效力的学校之间的显著特征之一就是学校建立起的这种信心。

17.1957 年，英国学者奥康纳(D.J.O' Connor)断言：“‘理论’一词在教育方面的使用一般是一个尊称”，以至于理论工作者也受到特别的尊重。但只有具有独立人格的学者才无愧于这种尊重。学者的独立人格表现为不随声附和、不曲意逢迎；坚持自己的独立判断和服从于自己的学术良知；另一方面也表现为不“为赋新词强说愁”，不为“标新立异”而故作惊人之论；不哗众取宠，不装腔作势；自觉地与“长官意志”保持距离，并能对此作冷静的、理性的审视与分析。学者最重要的品质就是理智的诚实。

18.教师相信学生，学生就会相信自己；这无论从理智能力的发展还是道德能力的发展都是如此。老师兴趣广泛，热衷于智力问题，善于接受新思想，也会对儿童的学习有所影响。有远见的教师往往能为儿童开辟出许多新天地，许多儿童因此选择了自己的终身职业。但教师凭什么相信学生呢?这就是教师的心态、胸怀与信念的问题。

19. 对多样化的尊重是对人的尊重的文化心理基础,因为人总是多样化的。我们每一个人都有许许多多的理由让人讥诟、指责和轻视,因为我们的肤色、容颜、身高、体型、口音、脾性、嗜好,甚至表情。当我们缺乏对于多样化的尊重,我们就会发现没有人是值得尊重的,因为正如古训所说的“金无足赤,人无完人”。

20.在这个社会中,令我欣赏的人其实并不很多,我深知这是我性格上的缺陷。假如我能更多地欣赏别人,更宽厚一点,我大概也是可以官运亨通的,可直到现在——马上就不惑之年了——从来没有担任过任何的行政职务,今后大概也无可能。我不太欣赏别人,别人当然也就不欣赏我。更有比较势利的人，经常会对“做官无望的人”另眼相看,因为机会或者好处给谁,他们是需要通过反复掂量的:那就是机会给谁,更有可能带来回报,你一个无权无势的人,拿什么去回报人家对你的“恩赐”呢?可余文森教授对我情深义重,到处褒奖我,真难为他一片苦心。在这片苦心背后,我感到的是他的质朴、真诚和宽广的胸怀,从他的身上折射出的人性的光辉。

21.经验培植着我们的信念和直觉,而正是信念和直觉支撑着我们的理想,使其能够不依赖于现实而生存。教育的理想与信念,一个需要通过对话而不断彰显的主题。我们把太多的东西交给了冷冰冰的理性,我们过于强调或者看重分析,我们渐渐地疏离了感悟和直觉。

22.如果我们能把我们所取得的成就、所拥有的一切美好的东西，都当成意外的惊喜，而不是理所当然该属于我们的，那生活中就会有许许多多可以支撑和温暖我们的心灵的亮点。意外惊喜的感觉总会让我们对生活怀有一种感激之情。感激、感动、感恩，都是人性的流光溢彩。

23.深刻的思想是一种美。深刻的思想加上细腻的笔触和感性的铺陈，一般都能写就美文。美文往往是一种生命至真的感受，纯粹、人性、自然而又经典。美文拒绝独断论的表达，它温柔而有张力，它有着直抵心灵的力量，却没有强暴的施虐。它娓娓道来，把我们带入冥想和遐思，遥远我们记忆的归程。

能写得一手美文，简直就是上天的造化。相对来说，这样的人不多，但按绝对数来讲，也不算少。“江山代有才人出”，以文章传世的，哪朝哪代没有呢?

24.读书籍报刊，经常会读到一些令人悠然心会的阐释或命题，领悟到一种理智的美，深邃的美。如果我们经常能感受到这种美，我们也会变得丰富、深刻和睿智的。阅读是何等的重要! 古人就曾说：“三日不读书，言语无味，且面目可憎。”

美好的心情，以至美好的心灵是需要美好的事物，以及记录那些美好情愫的文字去滋润、去温暖、去感化，去一点点一滴滴地浸染、沉淀的。多读一点美文吧。

25.文字这个东西真的很奇妙。我们既可用它砌成摩天大厦，也可用它缕刻微缩景观；它无需任何器物，却可建造美仑美奂的景致。难怪孟夫子说“万物皆备于我”。文字营造的美只有“心眼”方可见。我们能够“看”到什么，其实更多地看到的是我们的内心。用美好的文字去拨响人们心底那根空灵悠远的岁月之弦，这就是写作的价值所在。

26.热爱，顾名思义，即热烈的爱。这其中必定有一份成熟的理性和丰满的激情。它意味着投入，义无反顾。一个浅尝辄止、朝秦暮楚的人，是不会有真诚可言的，对事物的专注与真诚的品质相联系。

27.在人教社小学《数学》教材第11册的编写说明上，居然写有“力求使教材具有中国社会主义特色”的话。我不知道数学是如何去体现中国社会主义特色的。在我看来，如果这不是套话、空话，就是只有在这种思想支配下去牵强附会、故作姿态、虚假矫情?

28.人性的教育呼唤诗意。教育中如果没有诗意和激情就没有召唤和启示，就没有美感，没有情性的陶冶和净化，没有灵魂的飞升和投入生活的热忱。

教育之所以要呼唤诗意，还在于情感的苍白、才思的枯竭、内心的冷漠，都与唯理性的教育有关。

教育中呼唤诗意之所以可能，就因为诗是一切生命的永恒的超越性激情。这是每个心灵蕴藏的素朴的诗：它揭示了人性渴望不朽的冲动，揭示了人精神如渊海般的神秘与不可言说，揭示了人的内心深处对于永恒与无限的渴望。我们都向往一望无际的大漠，喜欢辽阔的草原，乐于亲近浩瀚的大海，反映我们希冀超越局限、走向永恒的内在冲动。

29. 过去国人的规则意识是淡薄的，法律意识不强，对于法律之外的“规则”，用灵活性极强的原则取代。这样一来，“规则”往往是一纸空文；“规则”仅仅是对于弱势群体进行剥夺和欺压的工具。原泰安市委书记胡建学曾深有感受地说：“官做到司局级，就没有人管得了了。”尽管他说的并不尽然(胡长清、成克杰远不只是司局级，可最终也没有逃脱惩罚)，但也说明，传统社会中的“刑不上大夫”的现象仍是广泛存在的。等级意识、特权意识与规则意识是不相容的。

30.不论在家中，还是在异乡，或在旅途，只要有健全的心智，生命都不会白白地耗费。你可以读，可以写，可以扪心自问，可以聆听自然，可以体察人情冷暖，可以洞悉浮生世象。对于有智慧的人来说，活着就是机会。他们无需贪图别人的恩赐，这也是他们人格之所以能够挺立的重要原因。

31.我们的教育过于强调用简单重复、高深严格、强化训练的方式来实现“知识”的快速积累。而创造力的生发需要闲适与自由作为土壤。自由的心灵才会有快乐。过多的限制只会压抑孩子，使孩子处于沮丧的、无奈的、消极的情绪之中。“我真希望我家穷，穷得要把钢琴卖掉”，这是一位被父母逼迫学钢琴的小学生的渴望，这难道不是一记当头棒喝吗?没有内在动力支持的学习，只能是摧残。

32.用自己的头脑去思考、去判别，用自己的语言去表达，这本该不成问题的问题，却不得不成为我们首先要面对的问题。多年来的教师的独断、武断、专断，在孩子们的头脑中形成了一个根深蒂固的观念：老师的任何一个问题都是有标准答案的，他们习惯了揣摩教师的想法，而不是我怎么看，我怎么想，我如何用自己的语言去表达。难怪有人疾呼：“我们的孩子患了失语症了！”其实，患了失语症的何止是孩子?!

33. 有学者将我们现在的教学称之为“去问题教学”(袁振国)。尽管教师不停地在问问题，但更多的是明知故问的所谓“问题”。学生用不着思考，也没有时间来思考。“问题”应该是课堂中学生为了完成一个任务、达到一个目标所必须克服的一个困难、一个障碍。在一堂课里，并不需要解决(或回答)所有的问题。其实，“结论是思考停止之处”。而问题就是动力，问题对于唤起学生成长的渴望、探索的冲动，有着不可替代的价值。比较好的教学应该是让学生带着问题、带着兴趣走进教室，带着更多的问题、更大的兴趣走出教室，走出校门，走向生活，走向社会。

34.“结了婚的女人不一定会生孩子，生了孩子的女人不一定结了婚。”这是河北石家庄某小学生用“不一定”造的句子。看来学生的早熟不仅是生理上的。

35.法国人凯恩斯对于“真爱”有着十分温馨的表述：“真正的爱是夜的花香，是黑暗中的宝石，是医生听到的第一声心跳。它是寻常的奇迹，是用柔软的白云织成而撒在夜空的满天星斗。”吴寿锦先生则说，理解是一种充满温情的爱。人对人的理解中一定包括着移情，包含着设身处地为别人着想，这无疑是极其重要的品质。难怪熊川武教授竭力推行他的“理解教育”。

36.西方思想家，从马克思、尼采到马尔库塞、弗洛姆，对于资本主义的批判，之所以能够深刻并影响着资本主义的发展，首先是因为他们有批判的自由，他们也是以批判为职志的。他们的批判也是西方社会进步的一种动力、一种内在机制的一个环节或要素。早期资本主义，即在资本主义原始积累阶段，的确是充满了罪恶，充满了血腥和残酷的；但资本主义，作为市场经济的一种模式和类型也是在不断地改革和完善的；成熟的市场经济，是社会资源配置的最有效的形式。

马克思对于资本主义的批判和揭露是正确的，他对于资本主义的最终命运的预见，放在一相当长时段内，也是正确的。毕竟，财富的过分集中，容易导致垄断，会妨碍社会由形式民主向实质民主迈进的进程。

37.对人的尊重，必须落在对于个体生命的尊重。一切以牺牲个体生命为代价而换取的所谓“大业”，所谓“圆满”，不管它冠以何种美妙的名字，其正当性都是值得怀疑的。一切以“虚幻的共同体”的名义，甚至不管以什么样的名义，对于人——不论是作为群体的人，还是个体的人——作出牺牲的要求都是不正当的。

38. 我许多可以自鸣得意的思想和表达都是在与自我对话中产生的。这更多的是在夜深人静的时候。这个时候，远离尘世的纷扰，流浪的心真正回到了家中，独自面对历史，面对社会与人生，面对自我，什么都可以想，什么都可以不想，也不必担心睡得太晚明天不能按时起床。我体悟到：思考与自由有着须臾不可分的关系，无论对于个人，还是社会。其实，睡觉睡到自然醒也是一种待遇。生活的辩证法就在于：有所得必有所失。任其自然，随遇而安，是生活的最高智慧。

39.生活的道理是不能靠说教来让人接受的，但是可以分享；分享并不意味着马上就会被认可，但当他(她)有同样或近似的经历后，曾经分享的成果会渐渐地凸现和丰满起来。比如说，只有经历过生活的繁华、驳杂、喧嚣的人，才会认同这样一种对于生活的感悟：简单的生活就是一种享受。一个一直生活在单调、贫乏、沉闷的生活情境中的人，绝不可能悟识到这一点。如果你给他讲“简单的生活就是一种美”，他可能会认为这不过是欺人之谈，是在兜售精神鸦片。

40.如果你专注思考，那最好离官场远一点，因为官场中有许多的利益，这些利益会诱惑你，使你要去权衡，要去挣扎(甚至是倾轧)，使你失去内心的清净澄明。当官会获得许多现实的好处，可当官也会使人变得平庸。这就是生活的辩证法。

当然，对于本来就平庸的人来说，当官是一个不错的选择。其实，所有的人的选择，都是利益权衡后的选择，这是最朴素的真理。可有人热衷于将自己的选择美其名曰“奉献”，很有些“得了便宜还卖乖”的嫌疑。

所以，好的官员的选择制度就在于：能够吸引通过职位来展示个人的个性魅力、人格魅力和智慧魅力的人，而不是那些通过这个职位来捞取好处的人。这样的人，通常没有个性魅力和人格魅力，因为他们鼠目寸光，心胸狭窄，他们是在为欲望的满足而钻营，而不是为自我实现而努力。

41.道德就是生活经验的产物，无论对人类共同体而言，还是对个体而言，都是如此，所以最高明的道德教育当是自然的、自发的生活教育。处于“前台”的德育，最好退场。

42.越是无耻的人，越是爱把自己装扮成“善的使者”(如伊梅尔达·马科斯这个拥有2000双手套、3000双皮鞋的贪婪女人)，都声称自己是真理的代言人，是真理的化身。他们喝着民众的血，还信誓旦旦地声言自己是为了人民。

43.合理的规章制度，是学校正常运行的关键。有效执行规章制度的关键是：这些规定必须具有公平性、可行性、必要性。过高、不公平以及具有压制性的规章制度不能形成有效力的学校气氛。自发性、利己性、创造性以及其他个性特征不应受规章制度的压制，否则会阻碍教师和学生成为向着自己希望的方向发展、成长着的人，也会阻碍他们成为向着学校鼓励的方向发展、成长着的人。

44.中国素来有“无才不怪”的说法。怕是因为才华出众的人往往孤傲不驯，放浪形骸。这只是专制社会中的普遍现象。“怪才”的形成主要是由于社会不宽容，有过多的压抑性的因素与力量，堵塞的内在冲动的宣泄。久而久之，就导致了个性的压抑、人格的扭曲和性格的病态。

才华是一种天赋，但这种资质能在多大程度上得以彰显和凸现、弘扬和发挥，就取决于环境、教育、机遇以及个人的生活态度。有才华的人总是特立独行，如果社会化程度不高，就会表现出我行我素、桀骜不驯、愤世嫉俗、郁郁寡欢。有才华的人，往往会有一些“另类思维”，以至异常的举止；他们有着自由的、自发的、散漫的、内在的冲动。天资比较平庸的人，一般从众心理比较强，他不容易看到世界的独到的光景，当然他也就不会有什么“大惊小怪”的发现。世俗是为庸人、是生活所编制的一套常规，也可以说是庸人共同生活形成的一种惯习。

45.所谓全面地看问题，不单纯是头头是道地说出个子丑寅卯、一二三四来，而是坚持两点论，既看到事物积极的一面，也看到事物消极的一面。能够坚持用“两点论”看待问题，有助于我们保持乐观与豁达的心境以及随遇而安的生活态度。

46.警惕与消解语言的暴力，是自由充分交流的条件。过去，我们习惯这样的思维和这样的表达：貌似铿锵有力，实则面目狰狞：不给对方容留下质疑与追问的空间，不给对方以表达不同意见的机会；我就是“真理”、“规律”、“客观事实”的代言人。如说“任务是十分光荣的，形式是一派大好的，工作是大有可为的”，就连私人之间的通信，也都多用“近来工作是忙的，身体是好的”这样的说辞开头。动辄就用“是……的”这样的句式来表达，更确切地说是“宣称”，这就是典型的“文革”语言：一锤定音，不容置疑，不容争辩，透着霸道，用哲学术语来讲，就是独断论。

47.在专制社会中，文化被分为正统文化和非正统文化。统治阶级的文化被定于一尊，非正统文化处于被打压、被防范、被围剿的境地。而在民主社会中，文化分化为主流文化和非主流文化。非主流文化实质上是相对于主流文化的异质的成分。正是这些异质成分，构成一种相互制约、相互补充并在对立中相互吸收、不断更新的关系，构成一个社会文化的生态平衡。于是文化本身就能生动活泼地向前发展，就避免了武断、专制，避免发生社会僵化或者停滞不前，更可以避免决策上的重大失误，因为在决策之前就存在一种抵消失误的机制。我相信这就是恩格斯所说的历史发展主要依靠一种合力的意思，这也是文化多元化的意义所在。

48.所谓“话语”(Discouse)，即实践着的语言。教育学话语的转换，不仅是我们看待和分析教育问题思维方式的转变，也是我们关于教育观念的转变。

譬如，我们经常说的“受教育者”，它作为对于人的一种身份标定，总有着将人们对学生的理解导向“受动”、“被动”的嫌疑；又如，我们习惯于将自己对教育的理解，冠称为、标定为对“教育本质”的把握。其实，任何对教育的理解都只是一得之见，一种理解，非要将一种理解非法地晋升为“本质的理解”，就很有些霸气和独断；后现代思潮之所以极力要“消解本质”，就因为以“本质”的名义言说，有谋求话语霸权的企图。

话语的转换亦即视镜的转换，研究方法的转换，以及研究趣味和研究者立场的转换。如过去我们研究“教育与社会”的关系，用“决定与被决定”、“作用与反作用”来描述和解释。这就有将“社会”、“教育”实体化并割裂它们之间有机联系的倾向。如果从社会生态、文化生态的视镜出发，社会与教育的关系就当是“互动”、“共生”的关系。研究二者的关系，就应该从现实的教育活动中，在教学制度和班级组织中来凸现、彰显社会关系和社会构型是如何通过教育得以复制或改造的：从专制社会和民主社会中，师生关系的性质、类型的差别中；“决定与被决定”、“作用与被作用”的话语系统表征的是机械的、静止的、孤立的和片面的形而上学的思维模式。

49.5000年的中华文明养育了一代又一代贤哲俊秀，他们见识高远、学养宏富，如今天仍健在者，作家如王蒙、学者如黄克剑、艺术家如黄永玉。然而，在我有限的交往与观察中，我感觉到国人精神世界的贫乏、平庸与苍白，实在是个不小的问题；即使在受过高等教育的人群中，这个问题也较为严重地存在着。

50. 原湖北省天门市委书记张二江严重违法乱纪，可就在被湖北省纪委“双规”的前几天，他仍然在人前拍胸保证：“我有什么问题呢？我敢拿党票担保！”(《北京晨报》，2002年2月2日，《视点》栏目)。“党票”成为一些人伪装自己、保护自己的道具，就像一件防弹衣。我们的社会中究竟有多少张二江？人们过于看重说了什么,而不是做了什么。

51. 理论研究与实际工作之间的差距往往会表现在理论研究注重抽象和概括,这就必然过滤掉许多具体的、情景性的差异性和独特性,理论研究会有自己的关注对象,而这一对象在实际工作中是存在于一个生态性的背景之中的。理论研究有这样两个貌似对的"误区",即"将复杂问题简单化"和"将简单问题复杂化",前者是由于抽象与概括带来的,后者是分析带来的。

52.对于和平与自由的向往,对于圣洁的爱的讴歌,对于专制、独裁、暴力、强制等等恶势力的鞭挞与诅咒,是所有艺术——文学、舞蹈、雕塑、美术等永恒的、最具魅力的共同主题。因此,可以说,艺术是积极的情感诸如爱、同情、欢乐的升华,消极情感诸如仇恨、压抑、沮丧的宣泄。唤醒存在于内心深处的真切的爱,对于自由与美的永恒的冲动与渴望,是所有教育——从科学教育、人文教育到艺术教育的共同使命。

53.据《羊城晚报》报道,上海一位中学教师年薪 10 万。《南方周末》在转载这一报道时,加了《编者按》:年薪 10 万,在很多高收入行业的人们看来不过小菜一碟。但对中学教师来说,却算得上令人咂舌的"高薪"。是因为教师们的智商没有他们高吗?不是。是因为教师们付出的劳动没有他们多吗? 也不是。尊重教师不应只是精神上的鼓励,甚至沦为一句口号。其实,没有相应的权益上的鼓励,单纯的精神上的鼓励就有精神禁锢的嫌疑。在不少地区,教师的年收入还不到一万。拖欠教师工资的地方,也还不在少数。我不知道我们凭什么对教师提出这样或那样的要求。愿上海闸北区的做法早日从"特殊"变成"一般"。

57 咀嚼概念与命题

我撰写《个人词典》最初的用意是对基础教育课程改革的一些理念涉及到的名词、术语和命题进行学术上的梳理，所以一开始命名为《课程建设与开发名词术语释义》。在写作的过程中，我发现这也是一种很好的表达方式和分享方式，通过日积月累把一些我认为建设理想社会、先进文化赖以奠基的“概念”，尽可能地囊括其中。下面这段文字是为《课程建设与开发名词术语释义》写的序：

“概念既是学术研究的工具，也是学术研究成果的结晶。在思想的发展中，问题的提出、概念的形成和方法的使用，三者是互为因果、相互生成的。

“课程改革是一项关系到几亿人、几代人的生命质量的宏大工程。这项工作需要有自由充分的思想交流以及与之相应的学术研究来支撑，才能永葆改革的生命力。任何急功近利、心浮气躁的追求，都有可能欲速则不达。改革措施的出台、课程专家队伍的建设与课程领域的学术研究，三者应当是相互依存、相互促进的关系。

“《课程建设与开发名词术语释义》所选词条是源于《国家基础课程改革指导纲要》和各科目的《课程标准》。它力图涵括新的课程改革以及今后课程建设与开发最重要的一些概念、术语和命题，以充分体现课程改革的教育理想、信念与追求。

“《释义》的目的不在于规范认识、统一思想，而在于丰富理解、拓展视界、提升认识。通过自由交流，当我们的理解变得丰富与深刻之时，也就是共识的达成之日，因为人们彼此之间视界的拓展更易于产生视界的融合。是为序。”

现在看来，这段话所表达的基本意思还是不错的，只是词条涉及的范围广泛多了。而且，对于有些词条的加工不够精细，只能留待以后精耕细作了。

学校

“学校”一个可能的定义就是学生可以犯错的地方；在孩子离开了父母之后仍旧可以淘气、顽皮、打闹、追逐和嬉戏的地方；是与同伴产生冲突，并可以学习解决冲突的地方；是孩子可以每天都能见到自己喜欢的同伴的地方。

一所学校应有一种公平之感，每一个人都能有机会获得成功，无论其种族、性别或贫富。因此，学校应该是一个充满正义感的场所。在学校里，“每一个人都是独一无二的”。

学校是一个人与人之间互相关心的场所，不仅是一个学习共同体，也是一个生活共同体。它有着共同追求的目标、良好的人际交流，有正义感，有大家认同并乐于自觉遵守的纪律，有充满爱心、欢庆聚会的时刻。

学校是每一个人生命历程中的驿站。当然，学校也可以是教师谋生、展示个性魅力和进行创造、充分实现自己价值的地方。

"远远的，学校是一个美丽的风景；远远的，学校是一个希望。"(张文质:《唇舌的授权》)学校是人与人的心灵最微妙地接触的地方，当我们走近它时，它应该仍旧是美丽和给人以希望与信心的地方。

2001年香港教育署明确提出"学校是社会发展的摇篮"，再次承认学校教育对青少年发展具有不可替代的作用。因为，只有经过完善的学校教育的人，才能够更好地应对未来社会的挑战，并且不断创造出新的生活样态，从而引领社会前进。

精神生活

"精神生活"是相对于人们的物质生活而言的。对于物质生活，人们将其高度概括为衣食住行。德国哲学家施普兰格把"精神生活"加以分类。他把精神生活分为五种形式(形态)，即:理论(认识)的形式、审美的形式、社会的形式、权利的形式、宗教的形式。今天，我们也可以将其高度概括为认知、交往和审美三个基本的方面。

课堂

课堂是生命相遇、心灵相约的场域，是质疑问难的场所，是通过对话探寻真理的地方。

可现实中我们看到的更多的是讲台上的讲，课堂成为了"讲堂"。教师主宰的课堂，和盘托出、天衣无缝的讲授，缺乏生命的活力，其危害就在于:1. 让学生感受不到智力劳动的快乐，异化了学生的学习动机，并进而扭曲了学生的个性与人格；2. 压抑并泯灭了学生的主动性:学生没有必要思考也没有时间思考，教学成为没有理智挑战的教学；3. 禁锢并窒息了学生的创造性与想象力：由于没有给学生足够参与的机会，学生经验世界的贫乏，使得所学“知识”停留在外在的、呆滞的、惰性十足的水平。

“雪融化了是什么？”老师的标准答案是“水”，而有学生的答案是“春天”，老师却宣布这个答案是错误的。这是发生在课堂上的真实故事。有人问“我们学生的想象力哪里去了”“学生的主动性是怎样从课堂中消失的”，问题本身就发人深省。

我们期待着：创造一个人性化的、生命化的课堂，让阳光普照到每一个学生的心灵深处。

表现性活动

在教育中创设丰富、健康的情境，给予学生通过自己的努力可以完成的任务，进行有效的角色承担，对于学生全面、和谐的成长和发展，是十分必要的。因为表现性活动有助于学生更全面地认识自己，形成积极的自我图像，学会有效的自我表达，形成健康的自我导向、自我激励和自我反思机制，获得自主发展的能力。

让学生在观察探究感悟大自然的多样、和谐与神秘中获得惊异感、敬畏感，发展探索的兴趣；在融入参与、模拟、设计社会生活中，发展学生的参与意识、对社会情景的知觉能力、人际沟通的能力和合作的品质。

创设更多的活动情境，让学生在展示自我、发现自我的活动中，发展自我、完善自我。

家庭作业

家庭作业应该是教师精心准备的送给孩子的一个礼物，它不仅可以传达教师对于学业的重视，也可以培养孩子对于学业成败的责任感:放学以后,什么都可以不干,但必须完成作业,这就是学生的义务和责任;它还可以是学校与家庭沟通的一座桥梁——使家长能及时知晓孩子在学校中学了些什么,并吸引家长对子女成长的关注。

家庭作业是必要的,对于任何年龄的孩子都是如此,重要的是分量适当。理想地说,它应该是可选择的和个性化的,因而成为因材施教的重要环节——家庭作业给孩子综合运用知识、发展和表现个人天赋提供机会,使教学的影响延续到全部的生活之中。

理想社会

教育是牵涉于社会与个人之间的一项活动。对于理想社会的构想和预设,是形成和确定教育理想的前提和基础。

在今天看来,理想社会包括这样四个层面:

个人自由:个人行为广泛的可选择性和自主性。个人自由是衡量社会文明程度的最为重要的尺度。

社会公正:公正意味着为了少数人、个别人的利益而牺牲多数人的利益是不公正的;为了多数人的利益牺牲少数人,甚至是个别人的利益同样是不公正的。

政治民主:社会中每一个有责任能力的个体都能自主地、平等地、充分地参与公共事务的决策与管理。

经济发展:科学技术的进步与生产力的提高,使得社会的物质财富不断地丰富,从而使每一个人都能享有免于匮乏的自由。

自由

哈耶克讲得深刻:我们要相信,每个成年人都应该，而且应该对他自己负全部责任。藉此，他有充分的自由。这种自由不仅意味着个人拥有选择的机会并承受选择的重负，而且还意味着他必须承担其行动的后果，接受对其行动的赞扬或谴责。(参见三联书店《自由秩序原理》第一章)哈耶克在半个多世纪前就曾谈到："自由是基于这样一个事实，如果某一个人拒绝满足我们的希望，我们可以转向另一个人。但如果我们面对的是一个垄断者，我们就只能对他惟命是从。"(《通往奴役之路》)

自主

作为有理性的成年人，谁都为自己的生活做主，因为没有人比我们自己更胜任这类事情。再说，人生来平等，没人有权利替别人指点江山。自主对生命个体来说非常重要。如果生活不能自主，如果贫困或是国家政策强迫人们做违心的事，人们就会感到不高兴、有约束感，甚至觉得失去了对生活的控制。这种感觉就好像是失去了一部分生命。由此可见，拥有适度的自主权利对个人幸福至关重要。因此，能享受多大的自主权利就成了个人幸福的关键。

我们要培养能够创造幸福生活的人，从小让他们学会自主判别、自主选择就非常必要。要想拥有一个有价值的一生，人们必须自己发觉生活的实质，而不是感觉别人总是在为自己做决定。人们自己才最清楚什么对自己有益，怎样才能使自己的人生充实。

思想自由

思想自由归根到底是发表思想的自由，即言论自由。在民主社会中,言论自由是有其底线的:不泄漏国家机密,不危害公共安全,不诽谤他人。

没有言论自由,思想自由就失去了意义,最终必将扼杀思想的自由。安德鲁·卡内基特别喜爱一句格言,并把它贴在一处醒目的位置。这句格言是:

"不会思考的人是傻瓜。

"不想思考的人冥顽不化。

"不敢思考的人是奴隶。"

受过教育的人

受过教育,意味着生成和获得某种品质。这种品质使得他(她)在有价值冲突的情境中会作出与教育过程中的价值引导相一致的选择。

受过教育的人,其内心状况和外在行为都会有一些稳定的特征,比如诚实、直率、谨慎、公正、服膺真理、理性的怀疑、尊重个人价值和捍卫人的尊严等等。

完整的人

"完整的人",就是与世界有着丰富关系的人,在"天、人、物、我"四个向度上,充分展开着自己的生命表现形态的人。

所谓"天",就是天道,就是我们常说的"苍天有眼"的"天"。它在宗教里就是神——不管我们称之为"上帝"、"佛陀"、"真主"或是其他什么,在哲学里就是绝对——那些亘古不变的伦常、永恒的真理,在我们的日常生活中就是神圣——我们只能敬畏而不可以亵渎的对象。在"天"这个向度上,人们是以信仰的形式来把握的。

所谓“人”，就是指社会、他人。没有“天道”，也就不会有真正的“人道”，而只能有“霸道”。在这一维度，人们用伦理、道德的方式来把握。

所谓“物”，就是指自然万物，包括人类的创造物。在这一向度，人们是用科学的形式来把握的。没有与“天”的关系，人就容易沦落为物的奴隶，难以摆脱人为物役的悲惨境地。

人还有一个与自我的关系。我们说的展示自我、反思自我、超越自我、更新自我之所以可能，我们说的扪心自问、叩问心灵、反求诸己、反身而诚之所以可能，就因为我们有一个“自我”。正如一首歌词所说的：“每一个人都是未曾了解的自己，每一个心灵都有未曾发现的土地。每一个人都是一个完整的故事，每一个记忆都有未曾翻开的日历。”(《回答自己》)

完整的人，相对的是单向度的人，片面发展的人，畸型的人，精神世界残缺不全的人。

认知

作为心理活动过程，认知包括感觉、知觉、注意、记忆、想象、思维；认知能力就包括感受力、记忆力、想象力、思考力。比较高级的认知能力有创造性的想象能力、批判性的思考力、创造性的问题解决的能力。

在学校教育中，应该着力培养学生以下四种能力：搜集与处理信息的能力，发现问题与提出问题的能力，创造性的解决问题的能力，合作与交流的能力。而前三种能力都属于认知能力。

情感

个体与世界建立关系的一个方面、一种途径,也是个体生命最富个人性的一个方面。按情感的状态,可分为激情、心境和热情三类。激情是爆发式的、强烈、紧张而短暂的情感状态;心境是微弱而持久的心理状态,即平常所说的心情;热情则是一种强有力的、稳定而深厚的心理状态。

美国心理学家戈尔曼(Daniel Goleman)的著作《情商》(Emotional Intelligence)揭示了人类潜在的情感得到发展的重要性,因为有越来越多的证据表明,个人一生中最基本的道德立场根源于潜在的情感能力。情商是让我们更充分地展示人性的一系列特性和品质，它们对我们的命运具有广泛的影响。“情商=能力,这些能力包括:激励自我,坚定地面对挫折,控制冲动,使满意持久,调整心情,不要让忧伤影响到思考、移情和憧憬的能力。”

态度

态度是个体在社会环境中，与各种各样的人与事互动过程之中逐渐形成的、以特定方式对人和事进行反应的一种心理倾向。一个人的世界观,特别是价值观决定着他对待人和事的态度。“人总得选择一种策略并坚持到底。不能以本色示人的人成不了大器。”(巴顿)美国有一位伟大的哲学家威廉·詹姆斯曾经说过:“我们这一代人最伟大的发现是，人类可以经由改变态度而改变自己的命运。”认知的改变,情感的变化,再到价值观、态度的改变,有着某种一致性。

文化

“文化”是一个魅力非凡的词汇。可是我们如何界定文化,这是一件比人们通常所想象的要难得多、也重要得多的事。“文化”的定义,众说纷纭,几乎和学者们的数量一样多。

从“文”和“化”两个字的原始意义看,东方人的最初的“文化”概念,也有人类摆脱自然状态的含义,不过较侧重于精神的一面。“文化”一词,在中国古代原指“以文教化”,与武力征服相对应。今天所说的“文化”,大约是 19 世纪末从日文转译而来的,其源出于拉丁文 cultura,原有加工、修养、教育、文化、程度、礼仪等多种含义。今天在世界范围内,不同学者在不同的层次和侧面使用这个词,在不同的层次和侧面给它下定义,就因为文化作为一个具有多方面复杂内容和关系的网络实体和现象,犹如由许多细胞所构成的机体,边缘并不齐整,因而内涵也不确定,导致了外延的不确定。如在考古学家那里,“文化” 主要指人类历史上精神生态环境和物质生态环境的历史遗存, 在文化人类学家那里则多指作为社会成员所习得的、共同遵守的行为习惯。

目前,国外学术界多赞同美国学者 A. 克卢伯(A. Kroeber,1876—1960 年) 的文化定义: 文化是一种架构,包括各种外显或内隐的行为模式,通过符号系统习得或传递。文化的核心信息来自历史传统。“文化既是人们活动的产物,同时又是人们活动的刺激物。”文化具有清晰的内在结构或层面,有自身的规律。

文化是有规范性的, 也就是说文化组成一整套行动准则, 人们从中感到必须在某种程度上服从这些准则。但这种规范性不一定是强制的:通常由价值观而不是由惩罚来说明为什么一个文化整体的成员必须服从它的准则。文化的不同要素不是像加数和被加数那样相加而成的，它们是协调一致的，有系统的。

文化是一种解救策略，把人类逐步从自然的、社会的及自身的牢笼中解放出来，便是文化的永恒主题。文化作为一种学习过程，是与作为认识、行动、体验和自我表现的完整的人联系在一起的。正因为这样，维克多·埃尔才说，“谈论文化也就是在以某种方式谈论政治和经济”。

科学

科学是人们探索世界的方法和把握世界的一种方式，科学是一种知识系统和价值观。

科学也是一项复杂的社会活动。作为一项社会活动，科学不可避免地要反映社会价值和社会观点。在20世纪以前，妇女和黑人由于受到教育和就业机会的限制，基本上被排斥在大部分科学研究之外，即使极少数人能够克服这些障碍，他们的研究工作也会受到科学机构的轻视。进入20世纪以后，这种状况有所好转。

科学作为一项事业，具有个人、社会和团体三个层面。科学活动是当今世界的主要特征之一，与其他特征相比，科学或许更能把我们这个时代同以前的各个时代区别开来。掌握科学是生存所必需的，而不仅仅是在谋职和日常生活中必需，而且，它已经成为融入主流社会和享受信息时代的益处与文化的一种方式。

“科学就是在改正一个又一个的错误的基础之上发展起来的。科学经常会得出不正确的结论，但是，这些结论不是最终的，而是暂时的。”(卡尔·萨根)科学不是教条，它在怀疑中获得成长。

技术

在当今世界，技术是一项复杂的社会事业，不仅包括研究、设计和技巧，还涉及财政、制造、管理、劳动力、营销和维修。

自从有人类存在，就有技术。实际上，创造工具的技巧一直被作为人类文明起点的主要证据。总的看来，技术是发展人类文明的强大动力，特别是技术与科学的紧密联系。技术与语言、宗教、社会准则、商业和艺术一样，是人类文化系统不可分割的一部分，并且，它还塑造和反映了这个系统的价值。

从最广泛的意义上讲，技术增强了我们改变世界的能力，人们将物体切割、塑造或者合成一体，将物体从一个地方移到另一个地方；技术扩展了人的触觉、听觉和感觉。我们试图运用技术改革世界，使其更加美好。这种改变可能与人类的生存需要有关，如食物、住房和防卫力量；或者与人类的精神生活有关，如涉及知识、艺术和管理。

技术对人类社会的性质和历史进程具有重大影响，这种影响还将持续下去。例如，农业技术的伟大革命，对人类生活产生的影响可能比政治革命产生的影响还要大；卫生的改进和预防药导致了人口爆炸和人口控制；弓箭、火药以及核武器改变了战争的进程；微处理机改变了人们书写、计算、储蓄提款、做生意、搞研究和相互通讯的方式。技术对世界范围内大规模的变化负有主要责任，如社会日益都市化、世界范围内相互依赖的经济共同体的迅速发展。

科学、技术与社会(STS)

形成对于科学、技术与社会三者的关系的丰富而确当的认识,是现代公民科学素养的重要方面,因而是科学教育的重要目标。

科学与技术既紧密联系,又有区别;科学与技术互为因果,互为条件。技术不仅为科学研究提供了工具,而且还可以激励理论研究动机和提供方向。例如,能量守恒定律的提出,主要是为了解决如何提高商业蒸汽机车的效率这个技术问题。技术变得越复杂,与科学的联系就越紧密。新技术常常需要新见解,新研究常常需要新技术。

技术和其他社会系统之间的关系像网络一样交织在一起,许多影响的作用是双向的。个人发明创造能力是技术创新的基础。研究哪些技术,重视哪些技术,投资哪些技术,使用哪些技术,这些问题肯定要受到社会力量和经济力量的巨大影响。

科学与技术作为一项重要的社会建制和社会事业,与我们每一个人的生活息息相关;技术作为一柄“双刃剑”,既可以造福人类,也可以给人类带来灾难。人类利用科学与技术改造世界的结果常常是复杂的、难以预料的,包括无法预见的利益、无法预见的代价和无法预见的风险,这些后果可能在不同时期落到不同的社会集团头上。因此,估计技术产生的后果同提升其性能同样重要。重要的是使用科学与技术的人,要有健康的心态、正确的价值观和对社会的责任感。

艺术

艺术——视觉艺术、戏剧、音乐、舞蹈，是对于人类经验的一种挑战，而且开拓了人类经验。艺术所带来的表现方法优越于通常的说与写的场合。艺术能够表现心灵深处的思想与感情。艺术是多样的文化以及这些文化发展之应有状态的独特的记录。艺术提供了理解人类与自然的有特色的方法。由于艺术这一创造性样式的恩惠，人们通过自我表现与对于他人表现之反应，能够丰富地理解自己的人生。

艺术作品往往伴随着微妙的意蕴与复杂的表现体系，要充分地鉴赏这种作品就必须有深思熟虑的推论与持续的研究，才能达于有学识的洞察。正如要完全理解自然科学就得有实验与实地研究那样，要充分地理解艺术的作品需要有百折不挠的韧性。

艺术借助实际的实践活动，能够调动想象力，培养灵活的思维方式，培育修炼的心性，构筑自信。艺术的鉴赏对于历史、外语、社会科学学习中理解所探讨的异质文化是不可或缺的。

制度

制度是人类追求秩序化的一种方式。道格拉斯·诺斯指出："制度是一个社会中的一些游戏规则；或者更正式地说，制度是人类设计出来调节人类相互关系的一些约束条件。"他曾提出一个重要的论点，即经济增长的关键在于制度因素，提供一种适当的个人刺激的有效制度是促进经济增长的决定性因素；并认为，如果一个社会没有实现经济增长，那就是没有从制度方面去保证创新活动的行为主体应得到最低限度的报偿或好处。

其实,不仅仅是经济增长取决于好的制度,知识的创新和文化的进步,均有赖于好的制度建设。西方学术的发达就得益于“学术自由”与“知识产权”的制度:前者从积极的方面鼓励大胆质疑、自由研究,保证真正的“学术无禁区”;后者从消极的方面有效防止重复研究、剽窃与抄袭。

2061计划

“2061 计划” 是美国科学促进协会联合美国科学院、联邦教育部等 12 个机构,于 1985 年启动的,其目的在于帮助国家的学校教育体制进行转变, 使所有学生受到良好的科学、数学及技术教育。它代表着未来美国基础教育课程和教学改革的趋势, 是科学家和教育家们为了全体儿童进行的一项长期努力。该计划在美国和西方发达国家的未来发展战略中具有极高的影响和地位。

由于 1985 年恰逢哈雷彗星临近地球,改革计划又是为了使美国当今的儿童——下世纪的主人, 能适应 2061 年哈雷彗星再次临近地球的那个时期科学技术和社会生活的急剧变化,故取名为“2061 计划”。今天的青少年将在他们成年后极大地影响 2061 年时地球上的生活,具备基本的科学素质是对生活负责的前提,也是使生活更充实、更有趣的前提。

“2061 计划”的制定者认为:美国的下一代必将面临巨大的变革,而科学、数学及技术将处于变革的中心位置——造成变革、影响变革、响应变革。它们对今日的儿童适应明日的世界十分重要。该计划还提出了未来儿童和青少年从小学到高中应掌握的科学、数学和技术领域的基础知识的框架，包括主要学科的基本内容、基本概念、基本技能,学科间的有机联系,以及掌握这些内容、概念和联系的基本态度、方法和手段。

在下一代的生活阶段，人类生存的条件与环境将会大大地改变。因此,为明天的世界教育培养今日的儿童,这项任务将是举足轻重的。这样的教育应当具有怎样的内容和特点呢?

综合国力

综合国力是一个国家在一定的时期中所拥有或控制的关系国家生存与发展的所有力量的总和，由经济活动能力、科技能力、国际活动能力、政府行为能力、社会发展能力、资源能力、军事能力、民族凝聚力等能力组成,主要包括经济、科教、军事、外交、人口、资源以及作为经济集中表现的政府权威和作为国力核心的民族精神、国民素质等要素。

人文素养

这一术语可能包括以下几个方面的含义：

1.对于古典文化有相当的积累,理解传统,并具有历史意识,能够“守经答变,返本开新”;

2.对于人的命运,人存在的意义、价值和尊严,人的自由与解放,人的发展与幸福有着深切的关注;

3.珍视人的完整性,反对对人的生命和心灵的肢解与割裂；承认并自觉守护人的精神的神秘性和不可言说性,拒斥对人的物化与兽化,否弃将人简单化、机械化；

4.尊重个人的价值，追求自我实现，重视人的超越性向度；崇尚“自由意志和独立人格”，并对个体与类之间的关联有相当的体认，从而形成人类意识；

5.对于人的心灵、需要、渴望与梦想、直觉与灵性给予深切的关注；内心感受明敏、丰富、细腻与独特，并能以个性化的方式表达出来；

6.重视德性修养，具有叩问心灵、反身而诚的自我反思的意识和能力；

7.具有超功利的价值取向，乐于用审美的眼光看待事物；

8.具有理想主义的倾向，追求完美；

9.具有终极关切和宗教情怀，能对于“我是谁，我们从哪里来，又要到哪里去”一类的问题作严肃的追问；

10.承认并尊重文化的多样性，对于差异、不同、另类，甚至异端，能够抱以宽容的态度；

11.能够自觉地守护和践履社会的核心价值，诸如公平与正义。

科学精神

科学精神的基本要素应包括如下方面：合理的怀疑，注重事实，尊重和宽容地对待一切新生事物。细究起来，这一术语可能具有以下含义：

崇尚理性的怀疑：既能做到不轻信，不盲从，不唯书，不唯上，又不意气用事，简单否定。

重视客观的依据：不臆断、不妄想——科学是富有想象力的，科学也需要大胆猜测，但必须立足于客观依据。

鼓励多元的思考：客观世界是多元的、多维的，充满着复杂性、交叉性、交融性，只有鼓励多元、多维度、多方位、多角度，甚至是多时序、多时段的观察思考才能更接近现实存在。

强调实践的检验：实践包括实验、实证。倡导平等、自由的争论，珍视创造性、建设性的冲突。只有保障了争论的平权与自由，才会产生出真正的理性怀疑和多元的思考。

注重宽容的激励：人的认识能力是有限的，每一个人在实践中都可能遭受失败。宽容是纠正错误的最好方法。

科学精神在一个社会取得主导地位，有两个条件。一得有说真话不怕死的家伙；二是社会保证这些家伙死不了，一辈子喋喋不休，对所有的问题说三道四。科学精神是国民基本素质的一个重要方面，也是教育中亟待加强的一个方面。

公民素质

这一术语至少应包括以下含义：

1.了解现代公民的权利与义务，并具有相应的实践能力；

2.了解现代国家运行的基本原则和程序，具有民主与法制的意识和民主参与的能力；

3.了解现代社会可持续发展必需的基本规范和底线伦理；

4.了解现代社会的基本特征，学会自主判别、自主选择和自主承担，能够为现代社会有尊严的多样性作出贡献。

在现代社会中，一个好公民不是一个任人宰割的顺民，而是敢于挺起腰杆向那些漠视你的合法权利者说“不”的人！合理的社会制度与好公民的存在是相辅相成的。

道德成熟的人

1988年，美国“课程发展监督协会”(the Association for Su-pervision and Curriculum Development)(简称AS-CD)邀请了11位道德教育专家组成了一个专家组。专家组起草了一份文件——《学校生活中的道德教育》(Moral Education in the Life of the School)，在文件中他们列举了一个“道德成熟的人”所应具备的六种品性或特征。这个“道德成熟的人”会习惯性地、非常自然地表现出：

(1)尊重人类的尊严；

(2)关心他人的福利；

(3)使个人兴趣与社会责任相统一；

(4)表现出正直；

(5)对自己的道德选择不断反省；

(6)寻求和平解决冲突的方式。

这对于我们思考“我们究竟要培养什么样的人”，特别是对于建构道德教育的目标有着重要的参考价值。

知识经济

知识经济(the Knowledge Based Economy)是一个以知识与信息为主要的生产要素和运行基础的新经济形

态，区别于以土地为主要生产要素的农业经济和以资本与原料为主要生产要素的工业经济。经合组织1996年在《以知识为基础的经济》中解释为："建立在知识和信息的生产、分配和使用之上的经济。"

20世纪最后二三十年间电子计算机的迅猛发展和软件产业的兴起，是知识经济开始形成的标志。在知识经济时代，以知识为基础的高科技的创新、传播和应用，成为经济发展的主要动力，教育和科技成为经济发展的动力源泉，以网络、电子计算机、数码、光缆、多媒体为主要标志的信息产业成为经济中最有活力的产业。概括地说，知识经济是一种信息化、网络化、创新型的经济。

特别是在知识经济时代，智力资源的开发，知识创新、技术创新、制度创新能力，决定着一个国家和地区在经济社会发展的前景。因为知识不遵守物质世界普遍遵守的"能量守恒定律"，知识可以不受限制地增长。静态地看，一个社会在一个时期内的原创性知识是稀缺的，但从动态来看，知识是非稀缺、可再生的资源。

"我们正在进入一个信息时代，与其说是自然资源而不如说是知识有可能成为人类的主要资源以及力量和幸福的必不可少的条件。""知识已经变成了关键的资源，而不是通常意义上的一个资源……它从根本上改变了社会的结构。它创造了新的社会动力。它创造了新的经济动力。它创造了新的政治学。"(彼得·F·德鲁克) 在作为财富之源的知识与以前作为基本的财富之源的土地、资金、能源之间，存在着重大的差异。正是这些差异，决定了知识社会的经济和政治特征。在这个时代，最能利用其知识优势的组织和个人，获得财富和成功的可能性远远超出其他人。

个体的社会化、个体的社会性发展

个体的社会化，就是一定的社会文化共同体使一个自然人逐渐成为社会的人——该社会文化共同体的价值与规范的分享者以及这一社会文化共同体发展与更新的参与者，成为这个社会共同体所能接纳和所需要的人。这就需要他学习和掌握其社会文化共同体的价值、规范,使其逐步具有作为这一社会文化共同体的成员所应具备的知识、技能、态度、情感和行为方式等。

人的社会化贯穿于每一个人一生的始终。其中儿童时期，是人的社会化的关键时期。这一时期的社会化,主要是让个体学习语言、生产与生活的知识和技能以及建立一定的感情联系，为日后在广阔的社会领域中扮演一定的角色做准备。

个体的社会性发展主要包括分享、获得社会的文化价值和规范,具有对于社会性情境的知觉能力、参与社会规则的建构能力(学生通过参与班级纪律、同伴之间的游戏规则等活动来发展这方面的能力)、人际交往与沟通的能力移情的能力(如推己及人、同情共感的能力)等。

道德教育

道德教育是建立在这样一个假设基础上的：其对象是“不道德”或“缺乏道德”的。在这一假设中,其实是暗含了对人的不尊重与不信任的。因而道德教育就不可避免地陷入了一种自相矛盾的境地：用不道德的动机去帮助别人变得道德。道德教育也就难以避免外在化、社会本位和成人中心，从而缺乏感召力和实效性。摆脱困境的路径就在于以生命教育来超越和提升原来的所谓道德教育。

生命教育

生命教育就是为了生命主体的自由和幸福所进行的生命化的教育。它是教育的一种价值追求，也是教育的一种存在形态。

推崇生命教育，主张用生命教育超越和提升道德教育，其理由就在于：道德教育是社会本位、成人中心的，它建立在这样一个假设的基础上，那就是“儿童是没有道德或者是不道德的”。因而道德教育强调外在规范，而不是着眼于儿童的内在需求。

生命教育的宗旨就在于：捍卫生命的尊严，激发生命的潜能，提升生命的品质，实现生命的价值。生命教育的目标是：关注生命，尊重生命，珍爱生命，欣赏生命，敬畏生命。

作为生命化的教育，生命教育强调用生命去温暖生命，用生命去呵护生命，用生命去撞击生命，用生命去滋润生命，用生命去灿烂生命。在生命的根基上确定起人的内在的不可让度的尊严，树立起生命神圣的观念。而在我们的社会中，漠视生命，轻贱生命，甚至是践踏与摧残生命的事时有发生，让人感到生命教育的必要与迫切。

生命教育，其现实途径就在于：给学生一些权利，让他自己去选择；给学生一些机会，让他自己去把握；给学生一些困难，让他自己去面对；给学生一些问题，让他自己去解决；给学生一些条件，让他自己去创造。

高扬生命的价值,反复吟唱生命的礼赞,让每一个人都能感受到生命积极的存在状态:投入、倾注、热力四射、兴味盎然。

对人的尊重,必须落在对于个体生命的尊重,个体生命的独特性、惟一性的尊重。一切以牺牲个体生命为代价而换取的所谓“大业”,所谓“圆满”,不管它冠以何种美妙的名字,其正当性都是值得怀疑的。一切以“虚幻的共同体”的名义,对于人作出牺牲的要求都是缺乏其存在的合理性的。

生命教育是一个有着明确的价值追求而又涵括着多重主题的教育实践领域,因而是学校校本课程开发与建设的重要主题和领域。这些领域和主题包括:

·让儿童远离意外伤害的教育,如熟悉安全防护标志、地震演习;

·意外伤害的救护;

·个体生命的成长历程,如青春期教育;

·临终关怀与死亡教育;

·人权教育,公民的人身权利,文化与社会权利;

·以保护生物多样性为目的的生态环境教育;

·世界和平教育。

通过生命教育,使课堂焕发出生命活力;通过生命教育,使学校变得更有吸引力;通过生命教育,使个性变得丰富而舒展;通过生命教育,使人格变得正直而强健。

生命是上天赐给我们最丰盛的礼物,让我们珍惜它,善用它,活得丰富,活得光彩,活得有力。让我们用心来永恒歌唱,歌唱生命。

信仰教育

信仰就是我们相信并仰望的、生命赖以充实的终极关怀。信仰所关注的问题就是“人为什么活着”的问题。随着物质的丰富,当生存危机退居次要地位,而存在危机——无所依傍的孤独与无所执着的空虚,就日益成为困扰人们的问题。没有信仰,就不会有真正意义上的道德。所谓的道德就可能沦落为一种伎俩:逃避责罚与获取奖赏的伎俩。

全球教育

当今世界的一个主要趋势就是人类文化的一体化和民族文化的多元化,这是同一过程的两个方面。全球教育不仅为各个国家、各个地区日益密切的相互依赖所必需的,也是个人自由全面发展所必需的。为了个人的自由全面的发展,我们有必要促使个人与整个人类进行普遍的交往,以便使个人从人类的差异性和多样性中吸取营养。这是因为个人的全面发展取决于他与人类其他个体之间直接和间接交往的广度和深度。

生态环境教育

保护生态环境,不仅是我们高质量的生活所必需,也是一种新的伦理道德规范的要求——只有我们能够珍视和关心其他物种的生态,而不是把它们视为人类征服和利用的对象,人类之间的和平友好相处才有了真正的保障,因为捕杀动物与杀害他人在本质上并无差别。因为“人对人行为的伦理决不会独自产生,它产生于人对一切生命的普遍行为”,“同情动物是真正人道的天然要素”。“过去那套只关心我们与其他人关系的价值系统是不完全的，所以会缺乏向善的原动力，只有立足于‘敬畏生命’这一观点，我们才可能倾其所爱与这个世界的其他生命建立一个灵性的、人性的关系。”(史怀哲)

用现代科学的眼光看，每一种动物都是一个独一无二的基因库，具有无法估量的现实价值和潜在价值。一个物种的灭绝，就意味着一个基因库的毁灭。我们的地球是一个所有生物物种相互依存、互相牵制的生态系统。野生动物的大量灭绝，必然会导致严重的生态灾难。

未来教育

未来教育可以帮助新一代人去适应和创造未来的生活，使受教育者明了未来社会需要具备哪些能力、素质、价值观念与行为习惯，可以使他们明了世界上还有哪些没有解决而又迫切需要解决和可能解决的问题——正是这样一些问题，而不是已经解决了的问题，更能激发学生对未知领域探索的志向和热情，给他们的思想以更加广阔的自由驰骋的天地。

“如果我们今天不生活在未来，那么，明天我们就将生活在过去。”

信息技术教育

信息技术教育不仅关注诸如信息的获取、检索、表达、交流等技能的培养，而且关注以独立学习的态度和方法，将已获得的信息用于解决问题、进行创新思维的综合的信息能力的发展。一个具有信息素养的人，能够认识到精确的和完整的信息是作出合理决策的基础，并且能够确定对信息的需求，形成基于信息需求的问题，确定潜在的信息源，指定成功的检索方案，将新信息与原有的知识体系进行融合以及在批判性思考和解决问题的过程中使用信息。

闲暇教育

闲暇的增多已经变成了一种复杂的现象：它既提供了新的机会，也产生了新的问题；既可以用来获得文化知识，丰富精神生活，也可以用来做很多不合理的危害社会和个人身心健康的事情，还可以白白浪费掉。人"唯独在闲暇时才有幸福可言，恰当地利用闲暇是一生做自由人的基础"(亚里士多德)。教育作为一种价值引导的人道主义事业，为使人们过有意义有价值的生活，闲暇教育就是不可缺少的。

公民教育

指国家或社会根据有关的法律和政策，培养其所属成员具有忠诚地履行公民权利和义务的品格与能力的教育。

公民教育应包括以下目标：

·认同自己的国民身份；

·获得履行公民权利与义务的品格与能力；

·发展参与社会生活的兴趣，并为国家和社会作出承担的责任意识和责任能力。

在学校的公民教育中，应努力检视和反省学校的文化、校规、各种制度与措施，吸引学生参与学校规章制度的建设，营造融洽宽松的环境，让学生在学习与生活中有机会体验生命神圣、民主、平等、自由、理性、个人独特性和文化多元化等价值和态度。

世界观教育

世界观不仅是对世界的一种根本认识，也是一种根本的评价和情感认同。其实，任何一种世界观都意味着一种信仰。因为世界观并不是一些实证知识的堆积，而是一些与世界和人生的大本大源密切相关的根本性、基础性假定。

人通过世界观而建立起来的人与世界的联系，不只是一种纯粹的认识关系，而且也是对人在世界中所处位置的情感认同。只有这样，人对于这个世界才会产生家园感。

对于任何一个人来说，人生观都不仅是他的世界观的一部分，而且是他的世界观的落脚点。世界观不仅为人生提供一个熟悉的背景，而且透过人生观、价值观也提供直接的行动依据。

任何一种世界观都意味着一种信仰，接受一种世界观也就意味着接受一种信仰。

世界观的教育渗透在全部的教育活动之中，因为教育的过程不过是帮助学生建立与世界的联系的过程。这个世界中，个人在本体论、认识论与价值论三个层面上与“天、人、物、我”四者之间的关系，构成了世界观的全景。

知识

对一定共同体的人类而言，知识是智者探索未知世界留下的闪烁着光芒的足迹，并成为驱除蒙昧、偏狭和愚顽的力量。对个人而言，知识是开启心智和获得洞见的过程。这一过程包含着“知道”和“洞见”两个层面的心智活动。“知道”主要表现为获取、存储信息的过程，而洞见则是信息的精细编码、加工、创化的过程。

洞见也可理解为对获致的信息的个性化的理解过程，赋予它有个体经验支持的鲜活的意含。只有当学习过程能够成为激活封存的记忆、苏醒沉睡的经验、奋飞想象的羽翼、拓展心灵的疆域，这个过程才成为作为动词的“知识”的过程，也就是个体的“自主建构”的过程，“知识”才能实现其教育的价值。正如布鲁纳所说：“知识是我们构造起来的一种模式，它使经验里的规律具有了意义和结构。”

审美原型

在人类审美活动过程中表现出来的，经由人类祖先亿万次地经验而通过遗传积淀在个体心理结构中的典型经验，它往往具有某种典型模式而决定着人类知觉、情感、领悟、想象等心理过程的一致性，但又从不进入个体意识领域。

审美原型的存在意味着人的潜能的丰富性、人的可教育性和学生自主建构的可能性，也意味着教育中，不论是明示，还是暗示，都可服务于唤醒。

自主学习

自主学习概括地说，就是“自我导向、自我激励、自我监控”的学习。它具有以下几个方面的特征：

1. 学习者参与并确定对自己有意义的学习目标的提出，自己制定学习进度，参与设计评价指标。

2. 学习者积极发展各种思考策略和学习策略，在解决问题中学习，而不是简单地获得认知的结果。

3. 学习者在学习过程中有情感的投入，学习过程有内在动力的支持，能从学习中获得积极的情感体验。

4. 学习者在学习过程中对认知活动能够进行自我监控，并作出相应的调适。

合作学习

合作学习是指学生在小组或团队中为了完成共同的任务，有明确的责任分工的互助性学习，它有以下几个方面的要素：

1.积极承担在完成共同任务中个人的责任；

2.积极的相互支持、配合，特别是面对面的促进性的互动；

3.期望所有学生能进行有效的沟通，建立并维护小组成员之间的相互信任，有效地解决组内冲突；

4.对于各人完成的任务进行小组加工；

5.对共同活动的成效进行评估，寻求提高其有效性的途径。

合作动机和个人责任，是合作学习产生良好教学效果的关键。合作学习将个人之间的竞争转化为小组之间的竞争，有助于培养学生合作的精神和竞争意识；有助于因材施教，可以弥补一个教师难以面向有差异的众多学生教学的不足，从而真正实现使每个学生都得到发展的目标。

探究学习

探究学习即从学科领域或现实社会生活中选择和

确定研究主题，在教学中创设一种类似于学术(或科学)研究的情境，通过学生自主、独立地发现问题、实验、操作、调查、信息搜集与处理、表达与交流等探索活动，获得知识、技能，发展情感与态度(特别是探索精神和创新能力)的学习方式和学习过程。

探究学习相对的是接受学习。接受学习的学习内容直接呈现给学习者，而探究学习中学习内容是以问题的形式来呈现的。

和接受学习相比，探究学习具有更强的问题性、实践性、参与性和开放性；经历探究过程以获得理智和情感体验、建构知识、掌握解决问题的方法是探究学习要达到的三个目标。“记录在纸上的思想就如同某人留在沙上的脚印，我们也许能看到他走过的路径，但若想知道他在路上看见了什么东西，就必须用我们自己的眼睛。”德国哲学家叔本华的这番话很好地道出了探究学习的重要价值。

国外学者将探究学习分为六种基本类型：实验性探究、逻辑推理任务、基于测量的研究、工程性设计、技术性设计、开放性的研究。

研究性学习

研究性学习，也称之为主题探究的学习。探究学习是研究性学习的上位概念。也就是说，研究性学习一定是探究学习，但并不是所有的探究学习都是研究性学习。研究性学习一般为长周期的作业。根据对研究和研究性学习过程的分析，研究性学习在五个方面与科学研究有联系又有区别，这五个方面的特征构成了研究性学习的五个基本特征。

·发现和提出问题：根据日常经验观察发现问题并提出问题；

·收集证据：根据问题搜集事实和证据——学习者重视实证(evidence)在解释问题中的作用；

·形成解释：根据搜集到的证据形成解释或假设；

·评价结果：根据其他解释对自己的解释进行评价——学习者重视思考的独立性与思想的开放性；

·检验结果：学习者交流和验证他们提出的解释。

在哈佛大学师生中流传着一句名言："The one real object of education is to have a man in the condition of continually asking questions."(教育的真正目的就是让人不断提出问题、思考问题。)问题就是以我们原有知识、经验不能解释、理解和说明的现象。因而问题也就是思想的资源、我们思想的推动力，也就是我们心灵的财富。研究性学习的价值不仅在于更为坚实地建构知识，也能很好地培养学生求真务实的工作作风和生活态度。

有效教学

"有效教学"这一概念首先意味着并不是所有的教学都是有意义和有价值的，甚至可能是无效的，负效的。何种教学就可称为"有效教学"?也就是说，满足何种条件或具有哪些特征，就可算作"有效教学"?不同的教学观，对此会有不同的理解。基于自主学习的观念，有效教学应具有如下几个方面的特征：

1.让学生明确通过努力而达到的目标，并且明白目标的达成对于个人成长的意义；

2.设计具有挑战性的教学任务，促使学生在更复杂的水平上理解；

3.通过联系学生的生活实际和经验背景，帮助学生达到更复杂水平的理解；

4.适时与挑战性的目标进行对照，对学生的学习有一个清楚的、直接的反馈；

5.能够使学生对每个学习主题都有一个整体的认识，形成对于事物的概念框架；

6.能够迁移并发现和提出更为复杂的问题，有进一步探究的愿望。

学习化社会

这一术语与“终身教育”思想的提出密切相关。在一个知识更新、社会发展日益加速的时代，人们只有不断学习，才能适应社会发展的要求。

学习化社会意味着所有的人在其一生中，都有不断学习的必要；工作与学习之间的界限变得越来越模糊，接受教育与培训成为一种投资或福利。

联合国教科文组织认为，学习化社会“只能把它理解为一个教育与社会、政治及经济组织(包括家庭和公民生活)密切交织的过程。这就是说，每个公民享有任何情况下都可以自由取得学习、训练和培养自己的各种手段，学会自我实现，学会将自己置身于社会最合适的地位”(《学会生存》，1972 年)。

在学习化社会中，教育成为一种能动的、引导社会变革的力量；学习者也不再是教育活动的客体，而成为学习活动的主体，不再是知识被动的接受者，而是知识的主动的建构者，成为社会现实积极的认识者和创造者。

综合性学习

着眼于培养学生综合运用所学知识和运用多种方法解决问题能力的学习领域和学习方式。

通过综合性学习，学生能够发现和更好地领会所学知识之间的内在联系,在“温故”中“知新”,在“知新”中“温故”,从而形成对某一学习主题系统化的理解,形成概念系统和解释框架。

在综合性学习中，应注重学生以下几方面素质的培养：

1.对情境或过程进行必要的描述的能力；

2.尝试对问题或现象作出解释和预言的意向；

3.提炼主题和作出命题的能力；

4.为解决问题或证明自己的观点收集和处理必要的资料、信息。

课程资源

凡是有助于学生的成长与发展的活动所能开发与利用的物质的、精神的材料与素材,都是课程资源,如图书资料、音像资料、风俗习惯、文史掌故、名胜古迹、自然风光、与众不同的人和事(如独特的个性、卓越的创新、超常的表现)等等。

一所学校课程资源的丰富程度，取决于所在地区的历史与文化积淀以及经济与社会发展水平。

在当前,教材仍是作为最重要的课程资源的载体,但积极开发与利用校内外显在与潜在的课程资源,有着广阔的空间；积极开发与利用多种多样的课程资源对于密切学校与社会的联系、密切教育与学生生活世界的联系、优化教育资源的配置,有着重要的价值。

教师

教师是由知识共同体所指认的，引领年轻一代与有教养的人类进行对话的人。自然,教师也应该是这场对话的积极参与者。

教师不能是道德的传声筒和会说话的教科书,教师应该成为鲜活的、人格丰满的生活者。在生活共同体中,快乐地、充实地生活着。

教师是学生成长的引领者，教师是学生潜能的唤醒者,教师是教育内容的研究者,教师是教育艺术的探索者,教师是学生知识建构的促进者,教师是学校制度建设的参与者,教师是校本课程的开发者,教师更是自己幸福生活的创造者。

教师应该像冬天里的一把火,热力四射。不仅能够温暖学生,而且能够点燃学生的生命,使人类文明薪火相传。

教师的素养

教师的素养包括这样三个层面:文化底蕴、教育追求与教育智慧。文化底蕴即我们对于人类的精神成就的分享程度，它决定着我们对于世界理解的广度和深度;教育追求就是我们对于教育根本问题的个人观念,它决定着我们的关于教育的理想和信念；教育智慧就是我们处理日常的教育问题所表现出来的机智、技巧与艺术。

教育追求和教育智慧都只能从我们内心生长出来,其长势取决于土壤的肥沃程度:我们的文化底蕴,我们的学识的修养、心性修养、精神修养；教育追求和教育智慧也都不可能从外面灌输进去。没有任何一门课程可以直截了当地教给我们教育的智慧。

半个多世纪以来，关于教师的人格特征的研究，已经积累了大量的文献，业已明确了一个好教师应具有的人格品质。盖兹达(G.M.Gazda,1977 年)等人曾将许多这方面的研究加以综合概括，包括：提高别人的学习能力，增强他们的自尊心与自信心，缓和他们的焦虑感，提高他们的果断性，以及形成并巩固他们为人处世的积极态度，等等。

教师的职责

由于对教师在教学过程中地位与作用的认识不同，对教师职责的界定也就不同。为了学生的健康成长，教师应更多地成为学生知识建构的促进者，而不是知识的传授者。为此，教师应更多地肩负起帮助者的角色：

1.帮助学生检视和反思自我，并明了自己想要学习什么和获得什么；

2.帮助学生寻找、搜集和利用学习资源；

3.帮助学生设计恰当的学习活动；

4.帮助学生发现他们所学东西的个人意义；

5.帮助学生营造和维持学习过程中积极的心理氛围；

6.帮助学生对学习过程和结果进行评价，并促进评价的内在化。

教师的成长

教师的成长最重要的是养成良好的阅读习惯，系统地阅读，批判性地阅读。文字作为表达人类思想与情感的载体，其广阔与纤细、其玄妙与确当，恐怕是其他形式，比如图像与音韵所比拟不了的。文字背后有广阔的空间，给思想留下了纵横驰骋的广袤的场域。

张大千 (1899—1983 年) 先生说：“作画如欲脱俗气、洗浮气、除匠气，第一是读书，第二是多读书，第三是有系统、有选择地读书。”读书对于画家尚且如此重要，何况对于教师。

学生

学生是有着完整的人的生命表现形态、处于发展中的、以学习为义务的人。

人是三重存在：自然的存在，社会的存在和精神的存在。

因此，“学生”意味着：他要学习——掌握生存的常识和技能，以便独立地面对世界；他还要学习——遵从生活的律则与规范，以便和谐地与人相处；他更要学习——探索生命的价值与意义，以便有尊严地立于天地之间。

以学生的发展为本

这一理念可以展开为以下命题：

1.学生的发展首先是为了他们能够成为幸福生活的创造者，并进而成为美好社会的建设者；

2.教育的要求是基于学生的需要，高于学生已有水平并且是学生通过努力可以达到的；

3.教育必须着眼于学生潜能的唤醒、开掘与提升，促进学生的自主发展；

4.教育必须着眼于学生的全面成长,促进学生认知、情感、态度与技能等方面的和谐发展;

5.教育必须关注学生的生活世界和学生的独特需要,促进学生有特色的发展;

6.教育必须关注学生的终身学习的愿望和能力的形成,促进学生的可持续发展。

生活

生活是我们每一个具体的人的生活。而对所有的人而言,生活总是与他(她)对生活的理解与追求相联系的。俄国伟大作家列夫·托尔斯泰对于生活的理解对于我们有着深刻的启示意义。在他看来,人有肉体和灵魂(心灵)两种生活。他说,不要让外在的生活压倒内心的生活,不要磨灭和闭塞灵魂,要让灵魂成长壮大,让灵魂得到幸福,而只有灵魂的幸福才是真正的幸福。

"这个世界就是我们现在生活的地方,是永恒的世界之一,它美好、快乐,我们不仅能够、而且应该尽最大努力,为了与我们同在的和在我们之后仍将生活于其中的人,把它改造得更加美好,更加快乐。"这就是托尔斯泰所倡导的人生目标,同样也应是我们人类的终极目标。任何现实的、短暂的、外在的目标,都不应该压倒和超越这个目标。

托尔斯泰不能相信那种被文明的准则所纷扰、所掩盖了的生活是真正的生活。"几乎所有的人都忙于安排他人的生活",而"人越不满足于自己和自己的内心生活,他就越是要在外在的、公众的生活中显示自己"。人要真正的生活,就要独自地生活,自主地生活,不要为赞扬而生活,不要为别人而生活,因为别人无权安排你的生活，而你也无权安排别人的生活。

不要为过去而生活，过去的已不存在，也不要为未来而生活——“准备生活是一种邪恶，它代替了生活本身。”未来我们无法知道，死亡会不会来打断我们该做而未做的事，所以没有时间来准备生活。人应该在他存在的此刻以最佳的方式去生活。

教育与生活

“教育与生活”可以从以下几个方面展开：

1.教育过程也是师生的生活过程，教育是个体生命历程不可分割的一部分；

2.生活中蕴含着丰富的教育因素；学生的校内外生活是学校课程资源开发的重要领域；

3.生活是现实的、具体的人的生活，生活是与需要、愿望、情感和体验相联系的，教育必须建基于学生的生活；教育关照学生的生活，意味着教育关注有完整的生命表现的人的存在，并致力于完整的人的成全；

4.“教育与生活”这一命题本身也标示出教育不同于生活；教育既不能脱离学生的生活，也不能简单地还原为学生的生活；教育必须高于生活，教育的内容和活动是对生活的提炼和对生活的超越。

儿童的生活

生活是人的生命赖以表征展开与充实的形式。

儿童的生活，应包括这样几个层面：

自然的、自发的生活：表现儿童内在冲动、童真与童趣的活动；非强制性和组织化的生活。

教育情境中的生活：教育者自觉创设的情境与活

动，服务于儿童的成长与发展。

不论是自然的、自发的生活，还是教育情境中的生活，都应努力做到：

·远离危险与意外伤害，确保儿童的安全与健康。学校与校外教育机构都有对儿童进行监护的职能。

·主动地、快乐地生活。儿童的生活，是儿童自己的生活，是自由自在的生活，理当没有禁锢，没有恐吓，没有强制，没有苛严的规训；它远离功利，拒绝媚俗，服从兴趣，关注当下。

·理智地生活。儿童激情有余，而理智不足，容易冲动，常常将幻想与现实混淆，这是其心理活动的主要特征。让儿童学会计划、规划、设计活动，学会合理的期待和对活动的结果的想象是理智的生活品质的要求，这样才可能使儿童学会有责任感地生活。

·有创意地生活。总是试图去改变，不满足于单调的、简单重复的生活，穷尽可能性，换一种方式。

生活总是与对生活的感受相联系的，儿童的生活也不例外。引导儿童接纳生活、品味生活，感知生命的复杂性、偶然性和神秘性，培养儿童对于生命的庄严感、神秘感与敬畏感，是我们关注儿童生活的意旨所在。

让我们一道构筑保卫童年、守护童真的坚固防线！

学生的需要

学生有如下几个方面的需要：

1.探究的需要。

2.获得新的体验的需要。

3.获得认可与欣赏的需要。

4.责任承担的需要。

人是万物之灵，每一个人与生俱来都有这几个方面的需要。关注和尊重学生的需要是教育取得成功的必要条件。学生的这些需要为教育中提倡探究性学习，重视过程性目标，强调形成性评价，注重使学生获得积极的情感体验、关注态度、价值观的形成，培养学生对于他人与社会的责任意识和责任能力，提供了人类学和心理学的依据。

生命质量

我们的教育——真正人道的教育，不仅要对学生的升学考试负责，更要对学生一生的生命质量负责。

总的生命质量领域应包括生活体验的全部。生命质量是代表一个人全部生活的术语，不仅仅是个人生活的部分，而应该是个人生活的全部内涵。

生活水平概念是指自己能控制、改进和维持其生活质量的物质资源和非个人资源。生活质量是对社会需求的满足感。可以用主观指标来评价生活质量，也应该用主观生活质量来评价生活质量，但生活水平必须用客观指标来评价。因此，需要同时用主观指标和客观指标来评价生活方式的全部和生活质量的结果。比较典型的是人们在测量总的生活质量和某一特定生活领域(在任何分析层面)时要么用主观指标要么用客观指标。主观指标大多是基于心理学的反映，如生活满意度、工作是否满意和个人幸福感等；客观指标的测量是基于具体的数量，如生活标准、具体的健康状况和个人的收入等。

生活质量、生活水平更多地与社会经济发展程度相关。而生命质量是一个包含有终极关怀在内的概念，包含有生命的价值与意义的概念，是人作为精神的存在内在关照，因而更多地与文化设计和文明的内在品质相关。

行动研究

“行动研究”(Action research)是“行动者”在学校真实的教育情境中发现问题、研究问题以解决实际问题的一种工作方法。“行动者”即问题解决的参与者，包括参与学校教学或管理的专家学者、教师、行政人员以及学生家长。行动研究有五个基本特征：

·研究是以解决实际问题、谋求教育行为的改进，提高办学质量为目标。它是务实的、有着深切的现实关怀的研究。

·研究是在理论工作者与实践者相互尊重、平等合作的状况下进行的，要求实际工作者自觉自愿地亲自参与，通过研究对自己从事的工作进行系统的、批判性的反思，并在研究中增长实用性知识。理论研究者也要深入参与实践的全过程，与实际工作者共同解决现实的问题。在行动研究过程中，每一个人都成为“反思的教育者”。

·研究不局限于某学科知识或教育理论，只要有助于实现目标，对各种知识、方法、技术和理论都容纳吸收并加以利用。

·研究是通过对特殊情况采取相应措施的现场研究方法，在动态发展的、自然的、开放的环境中进行的，而不是在封闭情况下，通过控制各种变量以达到验证假设的目的。鉴于任务的真实性、迫切性和情况的可变性,行动者的设想允许根据变化调整与修正。它强调理论研究者深入实际与教师一起发现新情况并不断调整计划,使研究更具真实性和针对性。

·研究过程同时也是教育过程。在日常的教育情境中,捕捉教育的契机,发掘教育的智慧,生发教育的理论。

经验

“经验”指个体的经历及其体验。对于个体而言,经验总是具体的、具象的、丰富的、鲜活的,具有个体性、独特性,具有情境性和现场感。经验是认识的门径,是理性认识和理论思维的基地。没有经验就没有认识;没有经验,理论思维就成了无源之水、无本之木。

让孩子用自己的眼睛去学习他力所能及的东西,是一个多么好的开始啊! 杜威坚信,思想的目的在于丰富人类的经验,他坚决反对将知识和实践割裂开来。杜威一再强调的教育准则是:亲身实践、观察、分析、调查、测量和预测的科学活动,社会协作,思想交流。

经验是个体由知识向智慧转化的中介,也是生成信念、提升教养的中介。古人提倡读万卷书,还要行万里路,道理就在这里。如果你没有在夜晚到过重庆的枇杷山公园,你大概不能很好地理解“万家灯火”这个词所代表的壮观与辉煌;如果你没有到过桂林,在薄暮时分站在叠彩山上,向西望去,你也很难理解“千峰竞秀”所能表达的秀美与峻峭;如果你没有在二三月份到过昆明,你大概也很难充分地理解“春深似海”这个词所拥有的包容性和穿透力。而这些词,对于我们都不陌生。然而,纸上得来终觉浅,亲身经历才能悠然心会,理解得通通透透。

直接经验与间接经验

直接经验即具体的个人直接经历并获得的体验。它具有亲历性、情境性(现场感)、具体性、个体性(丰富性)、原初性和缄默性等等特征;而间接经验即用来分享的、他人的经历和体验,它具有外在性、概括性、抽象性、简约性等等特征。对学生而言,书本知识无疑是最具有典型性、普适性的间接经验。

直接经验与间接经验,是教学中一对重要的矛盾关系。既不能没有直接经验,又不能事事都依赖于直接经验。由于知识是最为经典的间接经验,所以,直接经验与间接经验的关系也就主要表现为经验与知识的关系。

先前经验

先前经验是相对于个体要学习和掌握的新的知识而言的、已有的全部内心世界,它是个体进行新的学习的基础与平台。它包括需要、动机、趣味、信念、心境、意向、经历、体验,认知结构、认知策略、学习风格、惯习,理性认识和已有知识。

教学

1.教学是一项以帮助人们的学习为目的的事业。

2.教学是以促进学习的方式影响学习者的一系列行为。

3.教学的目的在于帮助每一个学生,使之按自己的性向得到尽可能充分的发展。

4. 教学应更多地被视为是一项人际互动的过程，那种通过严格程式化的规则、过程、步骤进行监控的系统方法并不适合这项工作。

教学过程由以下事件构成：

1.引起注意和唤起学习者学习的需要。例如，在学习百分数时，学生的兴趣可能会由“你怎样计算一个棒球手的平均击球率”这样一个问题而激发；

2.就教学要达到的目标形成共识；

3.激活学习所必需的先前经验；

4.提供学习资源；

5.引出作业并适时提供作业正确性的反馈；

6.促进保持和迁移。

教学策略

教学策略即教学主体对教学过程进行的宏观与微观统一的计划、评价、调控，以追求较高教学效率的计策和谋略，是一种实际施行的程序和计划框架。

策略，有计策谋略之意。教育学借用策略这个词，早期作为“方法”或“程序”的同义词使用，后来也指活动的序列化和师生间的实质性交流，有时策略还指一系列达成预期效果的有目的的教学行为。

教学策略包括了教学准备活动、信息呈现、练习与反馈、测验及后续活动等部分。设计教学策略应吸收学术界对学习过程、学习的支持性条件的研究，也要分析研究教材的内容和学生的特点。

教学设计

教学设计是一种开发和创设学习经验和学习环境

的技术，这些学习经验和环境有利于教学活动的顺利展开,从而有利于学生获得特定的知识和技能,并使得这一获得过程更有效率、更有效果和更吸引人。

掌握不同类型的知识和技能需要不同的学习条件,需要不同的学习经验和学习环境的支持,教学设计的目的正是开发促进学生掌握特定知识和技能所要求的经验和环境。

创设学生自主学习的氛围，设计学生乐于参与的活动,激活、丰富和提升学生已有的经验,应该成为教学设计的重中之重。

掌握学习

掌握学习是针对班级教学组织形式提出来的,十分注重评价、反馈—矫正在教学过程中的作用,强调通过经常的形成性测验,不断获得及时的教学反馈信息,并据此为学生提供各种可供选择和补充的教学手段和材料。

掌握学习的要义在于“能够在学习误差出现后不久便揭示这些误差。如果在需要时采用适当的矫正,教学便能够自我矫正;这样,在某一时刻出现的学习误差便能及时矫正,而不至于与以后的学习误差结合起来”(B.S.布卢姆)。“不管教师工作多么有效,群体教学在课堂或学期的每一阶段都会产生误差。”

教学目标

可以把目标定义为一种理想的情态。教学目标即经过教学之后学习者将能做哪些他们以前不会做的事,或者“教学之后学习者将会有何变化”。

明确界定的教学目标有助于为教学效果评价提供可操作的标准。

教学目标的陈述包括：

1.在何种情境中。

2.行为表现需要使用的特殊工具，需要某种限制和其他条件。

3.完成任务习得性的行为动词。行为动词描述了行为是如何被完成的，如辨别、区分、演示、采用、选择等。

4.对象。对象成分指出了学习者行为表现的内容，如："演示三个两位数乘积的计算(对象)。"

校本课程

校本课程即基于学校的课程资源 (以学校为课程开发的基地)，为了形成学校的办学特色并满足学生的实际需要(以学校为课程开发的决策依据)，在学校中开发的课程(以学校的教师为课程开发的主体)。

校本课程是文化民主化的重要标志，也是教育民主化落实的重要途径，它对于学校办出特色，满足经济、文化发展水平不同地区的需要，向学生提供最恰切的教育以便使他们能获得最满意的发展，有着重要的价值。

校本课程的开发对教师的素质提出了很高的要求，如果教师只能"依纲靠本"来进行教学，而没有丰富的知识储备和较高的课程开发的能力，校本课程的建设就只能是空中楼阁。

课堂观察

课堂观察是指研究者或教师有目的、有意识地获取教学信息的方法与过程。对研究者而言,课堂观察是了解教师和学生的课堂行动、课堂气氛和教学效果的重要渠道。

课堂观察的重点为师生交往的方式，包括提问的次数和问题类型以及学生对问题的反应，教学过程的开放性和探索性,教室的空间布局、班级规模等因素对学生认知、情感、态度和行为的影响。

对教师而言,课堂观察是一种课堂管理技术;其目的是获取教学反馈信息,以便调整教学的进度、节奏、方式等从而取得最佳的教学效果。

坚持以追忆的形式做课堂观察笔记，对于促进教师更好地反思自己的教学、积累教学研究资料、开发教学案例,都有重要价值。

教学机智

教学机智是教师在教学过程中应付和处理偶发事件、随机应变、因势利导、善于捕捉和发掘教育契机的能力与素质。

课堂中的偶发事件大体包括：在教师的教学设计之外的、与教学内容相关或不太相关的富有挑战性的问题,来自课堂之外的猝不及防的干扰,学生异常的举动。

通常的情况是,教师对于学生提出的、而自己未经准备的问题不予反应。这不仅有可能丧失掉有意义的教育契机——点燃思考的火花、拓展思维的空间、深化探究的兴趣,还有可能扼杀学生积极参与课堂生活的积极性,使学生变得愈来愈麻木、消极、被动和惰性十足。

教师的教学机智是课堂开放性、生成性的重要条件。教学不是一个演“教案剧”的过程，而是完善并再度创造师生共在的精神生活的范本的过程。

叶澜教授提出“让课堂焕发出生命的活力”，这个命题是意味深长的。教学应该成为学生生命全方位地涌流的过程。让生命充分地涌流，更多地鼓励，更真实地关注，这是培养完整的人的教育所必需的。

在课堂中处理偶发事件往往费时费力，但只要有助于学生的成长，付出必要的努力是值得的，因为我们的目的正是为了学生的发展，为学生的发展提供机会。机会来了，我们是视而不见还是积极捕捉？我们能不能有效地捕捉并发掘其教育价值，这就取决于教师的教学机智，更高意义上说，是教育的智慧。

教学诊断

教学诊断是为使教学能更好地适合学习者的需要和背景情况，由教育专家或学校内部对教师的教学情况和学生能否达到确当的教学目标所必需的基础（包括知识、技能、态度、情感等方面）所作的评定。

通过诊断，设计出一种改进教师的教和排除学生学习障碍的教学方案。

教学诊断包括这样四个要素：诊断者，被诊对象，诊断依据和诊断过程。

教学诊断的意义在于：能够使教学过程更加有序、优化，使教师对自己的教学行为更加自觉，有助于教师改进教学和获得成长，有助于形成教学研究氛围和形成教学团队。

审美价值

为主体而存在的事物所具备的能满足人的审美需要、引起人的审美感受、带给人美的享受、激起人创造美的冲动的资质与属性。

人本身以及人按照美的规律创造出来的一切成果(如艺术作品、生产和生活用品等)、许多自然现象(如山川、景物、珍禽怪兽、奇花异草等),都具有审美价值。

事物所具有的审美价值的丰富性不仅取决于事物本身的资质与属性，也取决于审美主体的审美素养与价值观。事物的审美价值是其具有审美教育意义的根据与原因。

由于我们每一个人都分享着共同的人性，因而一些事物具有普遍的和永恒的审美价值，特别是一些优秀的艺术作品。

我的教学信条

1.教学必须着眼于完整的人的发展。

完整的人的发展包括个人与“天、人、物、我”四个向度上的认知、情感、态度和技能的和谐发展。教学的任何一个环节,要达到的任何一个具体目标,都应自觉地朝向这个教学的终极目标——完整的人的发展,并且使任何一个教学活动与教学环节，都能作为通向这个终极目标的步骤而存在。

2.教学重要的是教学生学会学。

如果刺激单调,教学方式单一,就会导致学生注意力不集中,导致学习效果下降。如果真正的学习没有发生,教师教得再辛苦,也是无效的;真正的学习意味着经验的重新组织与重新解释，这就包括先前经验的激活，引发新的认知冲突，信息的搜集、选择与加工，最后形成开放性的认知框架。

学远远不只存在于认知活动中，也广泛存在于交往活动与审美活动之中。学习的结果不仅包括知识的建构，还包括态度、价值观的改变或深化，情感的丰富和体验的深刻，技能的形成或巩固，认知策略的高级和完善。

3.教学必须为学生的发展提供机会。

教学不是为了教师的表演和个人魅力的展示（尽管不露痕迹的个人魅力的展示有着重要的教育价值），教学是为了促进学生的发展。为此，要努力为学生的成长与发展提供机会，要创造氛围与情境，为学生具有深度的参与，从而为学生展示自我、发现自我和发展自我提供足够的时间和空间。教师讲得越多、越细，越有可能封闭学生的思想空间，并造成学生对教师的依赖。

4.以问题引导教学的进程。

营造真实的问题情境，以问题引导教学，让学生在解决问题中学习。问题必须是真实的，即能够与学生的经验背景产生冲突；问题必须是具有理智的挑战性并通过努力有可能做出尝试性的解答的。

教学应该创设一个合适的问题空间，以便对学生的理智能力构成挑战；应培养学生对证据、逻辑和结论提出理性的怀疑的习惯。

5.重要的是理解的质，而不是信息的量。

真正地理解，而不是似懂非懂。新的学习内容能够真正地纳入学生的认知结构。

发展性评价

评价是学校生活的重要内容，是人的社会化不可或缺的社会性刺激生成的方式。重视评价，对于明确教育的质量标准，丰富和提升教育者的教育智慧，有着重要的价值。

发展性评价就是旨在促进教师成长与学生发展的教育评价。教育评价有诊断、反馈、导向、激励、甄别等功能，而这些功能都可以服务于教师的成长和学生的发展。

发展性评价的工作程序一般为：

让评价者和被评价者参与制定评价的内容和标准；共同设计评价工具；客观、全面地收集和分析事实、证据；充分真诚地肯定所取得的成绩，明确改进的方向并制定努力改进的工作方案。

“让被评价者最大程度地接受评价结果，就是评价的最大效益”，这是第四代评价的核心理念。为了使受评价者心悦诚服地接受评价结果，评价过程中的相互尊重、友好协商和充分沟通就十分必要。另外，评价标准的多元化，使不同风格与个性的人都有被认可和赏识的机会和可能也十分重要。

粗暴的、贬损性的评价广泛地存在于我们的教育之中，存在于我们人与人的交往之中。归根到底，这是一个国民性的问题，一个文化的深层结构的问题。在自然的、真诚的交往、沟通和互动之中，渗透发展性评价的理念，是良好教育的天然要素。

行为主义

行为主义理论认为，所有有机体包括人类，都是仅对刺激作出反应的机器,缺乏主动行为的能力,当有必要时可以通过操作条件进行控制。行为主义的基本主张是：客观主义——分析人类行为的关键是对外部事件的考察；环境主义——环境是决定人类行为的最重要因素;强化——人们行动的结果影响着后续的行为。

行为主义的致命缺陷在于:不承认人的主体性,即自主性、能动性和超越性。当人的任何行为都可通过社会的强化予以调整时,人就失去了最为珍贵的主动性。正因为生命体具有主动性,他不是被动地受制于环境,这就为人的自由意志提供了前提条件。

行为主义的学习观反映在教学上，认为学习就是通过强化建立刺激与反应之间的联结的链；教育者的目标在于传递客观世界的知识，学习者的目标是在这种传递过程中达到教育者所确定的目标，得到与教育者完全相同的理解。行为主义者根本无视在这种传递过程中学生的理解及其心理过程。

认知主义

认知主义者基本上还是采取客观主义的态度。他们认为世界是由客观实体以及客观事物之间的关系所构成的。他们与行为主义者的不同之处在于确认学习者内部的认知过程。教学的目标在于帮助学习者习得这些事物及其特性,使外界客观事物(知识及其结构)内化为其内部的认知结构。可以说,认知主义强调内化,也就为灌输敞开了方便之门。

建构主义

建构主义是学习理论中行为主义发展到认知主义

以后的进一步发展，即向与客观主义(objectivism)更为对立的另一方向的发展。当今的建构主义者主张，世界是客观存在的，但是对于世界的理解和意义赋予却是由每个人自己决定的。我们是以自己的经验为基础来建构现实，或者至少说是在解释现实，我们个人的经验世界是用我们自己的头脑创建的；由于我们的经验以及对经验的信念不同，于是我们对外部世界的理解便也迥异。所以他们更关注如何以原有的经验、心理结构和信念为基础来建构精神世界。

学习是学习者主动地建构内部心理表征的过程，它不仅包括结构性的知识，而且包括大量的非结构性的经验背景。人脑并不是被动地学习和记录输入的信息，它总是建构对输入信息的解释，主动地选择一些信息，忽视一些信息，并从中得出推论。学习过程不是先从感觉经验本身开始的，而是从对该感觉经验的选择性注意开始的。任何学习和理解都不像在白纸上作画，学习总是涉及到学习者原有的认知结构，学习者总是以其自身的经验，包括正规学习前的非正规学习和科学概念学习前的日常概念，来理解和建构新的知识。

建构一方面是对新信息的意义的建构，同时又包含对原有经验的改造和重组。学习者以自己的方式建构对于事物的理解，从而不同人看到的是事物的不同的方面，不存在惟一的标准的理解。但是，通过学习者的合作可以使理解更加丰富和全面。概括地说，建构主义学习观认为，第一，学习是一个积极主动的建构过程，学习者不是被动地接受外在信息，而是主动地根据先前认知结构注意和有选择性地知觉外在信息，建构当前事物的意义。第二，这种建构过程是双向性的：一方面，通过使用先前知识，学习者建构当前事物的意义，以超越所给的信息；另一方面，被利用的先前知识不是从记忆中原封不动地提取，而是本身也要根据具体实例的变异性而受到重新建构。由于要进行这种双向建构，学习者必须积极参与学习，必须时刻保持认知灵活性。第三，学习者的建构是多元化的，由于事物存在复杂多样性、学习情境存在一定的特殊性以及个人的先前经验存在独特性，每个学习者对事物意义的建构将是不同的。

建构主义学习观强调学生的直接经验，强调学习过程中学生的自主性和独特性，强调学习的主动建构性、社会互动性以及情境性。建构主义者提出了许多教学改革的设想，在这些设想当中有一条被广泛采用的基本思路，这就是：通过解决问题来学习，基于问题解决来建构知识。

民主

“民主”既可以是一个漂亮、时髦和供人清谈的话题，也可以是这样实实在在地从社会的制度和措施中，特别是它们的一些细节中体现出来。

“民主”一词，在希腊语中是由 demos (人民)和 kratos(权利)两词所合成的，意指人民的权利。现主要用于指人民在政治上享有的自由发表意见、参与国家政权管理等权利。在汉语中，“民主”相对的是“君主”。民主是一种社会制度，即公共事务的决策和管理，不是由个别人或少数人说了算，而是由全体民众平等地共同参与。“民主的思想是重要的，因为它不仅体现了自由、平等和公正等诸多价值中的一种价值，而且它是可以联系和协调相互竞争的所有问题的一种价值……民主并不以不同价值的一致为先决条件,毋宁说,它只是为把不同的价值相互联系起来以及把解决价值冲突放到公开参与公共过程之中提供一种方法……”

民主也是一种生活方式和个性特征。民主的性格,就是“乐于分享、善于沟通、勇于承担、敢于创新”的性格。

“没有民主就没有好社会。有了真正的民主就可以建成,甚至可以说一定会建成好社会”,“好的社会,并不在彼岸,而就在当下,在人们对现实的认真选择和积极努力之中”(加尔布雷思)。对于我们来说,就思想来谈民主,仍是必要的。这并不排斥应该主要把民主变成一个实践领域的课题,无论对于整个社会,还是对于学校。

真诚

关于真诚,王玉北说得再好不过了:“我立身处世,就靠真理和诚实。如果我丧失了真理和诚实,就等于和我的敌人一起击败了我自己。真为识之路,诚为伦之理。”真诚不仅是我们的教育应该着力培养的品质,也应是教育的基本精神。

个人主义

在我们的社会中,“个人主义”曾经是一个臭名昭著的词,它是与自私自利、爱出风头等等相联系的。而在西方社会里,“个人主义”是近代以来的文化的基本精神。它意味着:个人的价值必须得到尊重;无政府主义乃是理性主义的假个人主义的产物,这是真正的个人主义所反对的；民主的思想来源于个人主义的基本原则；强制力量是必要的，但必须限制在一定范围之内；个人主义是一种使坏人所能造成的破坏最小化的制度(A·哈耶克,1949年)。

在西方，个人主义的兴起是与世界的祛魅联系在一起的。上帝死了,人有了更充分的自由,就好比父亲死了,解除了对孩子的管束。但一个成熟的少年将会意识到他从此必须独自来承担自己的命运，创造自己的生活了。这种社会变迁的后果是,现代人获得了前所未有的自由:每个人都有权利选择自己的生活方式。人的充分的自由同时就意味着更多的承担，意味着需要更强的生命力,也意味着他有可能创造出更高的意义。

个人主义的基本主张就是：每个人各自通过自身的努力在社会上占据一定的位置，自己掌握自己的命运,对自己的选择和行为负责。支撑个人主义的价值是奋斗、勤勉、野心、竞争精神、冒险、自信、自强、自立等。正是在这种意义上，美国学者 Dr.Henry Steele Commager 在《美国人与中国人》一书的序言中这样写道：“与平等的概念相比,个人主义更能充分反映美国一个显著的特征。个人主义清楚地把美国和广大西方国家联系起来，也最明确地把西方国家与非西方国家区分开来了。”

社会学家帕森斯强调“市场经济、民主政治、个人主义”三位一体,其历史内涵乃是勾画了一个国家的国民从顺从的臣民转变为自由、平等的现代公民的内在特征、公民应有高度的人的尊严和不可侵犯的自由、自主权利。因此,如何正确认识个人主义,不是一个简单的概念问题,它涉及到极复杂的人权问题、个性发展问题、个人的自由度及个人的尊严等问题。由此也不难看出,中国传统社会中创造性的匮乏、个性的不发展与西方意义上的个人主义的缺失是不无联系的。

主动性

我们可以将“主动性”理解为:个人对待世界的积极的心理倾向,它更多地表现为自信、进取、乐于尝试、敢于冒险。它相对的是被动性、依赖性。被动性经常表现为退缩、逃避、怯懦,用我们的日常语言来说,就是“胆子小”。

没有主动性,就没有创造性,就没有丰富的内心世界和鲜明的个性。因为主动性是创造性赖以激活、拓展、提升的基础。没有主动性,也就没有强健的人格。因为缺乏主动性更多的与畏首畏尾、优柔寡断、患得患失、瞻前顾后相联系。

好奇心

我们要培养学生的好胜心,但更要培养学生的好奇心。教育就是不断激发学生的好奇心并不断满足好奇心的过程。在教育中,将任何一种理论、学说、思想置于一种不容质疑的地位,都是对教育真义的背叛。因为它阻塞了好奇心的激发和满足。

想象力

培根说过:“想象是人身上的肉,若没有想象,人只不过是一堆骸骨。”罗素也说过:“缺乏想象力的民族是可悲的。”更有研究发现:想象力是创造力的核心要素。创造力就是丰富的想象力,能为我们的生命及世界增添色彩。如果“大海”只能用“浩瀚”一词来修饰，别的统统算错误，这种追求标准答案的教育，与其说是教育，还不如说是精神禁锢。精神天地的鸢飞鱼跃是一个民族生机勃勃的表现；思想世界的更新与进步，是一个民族创造活力的源泉。

差异·多样性

没有差异，就没有多样性。没有差异的世界该是多么的单调。能否珍视“差异”的价值，与我们的眼界、见识有关，也与我们的胸怀和气度有关。

我们习惯于党同伐异，习惯于内外有别，这都反映了我们狭隘的一面。其实，“与我们习见的地方，人事的反差越大，价值可能越大。因为我们相信，对文化的多元化、文明的多样性进行持久的表达和不遗余力的维护，对于人类具有毋庸置疑的意义”。

在教育中，学生间的差异也是一种重要的课程资源。没有对于差异的珍视，就没有个性张扬的空间。

冲突

社会生活中的人们，每日都在与冲突打交道，总是处在大量日常的争端、问题和冲突的漩涡中。生活在校园中的人们，也不例外。积极地正视这些问题和冲突，而不是防御性地回避它们，从心理学与策略的角度来看，这样做是有益的。罗宾斯(Robbins)指出，事实上“没有冲突，就不会有新的挑战，思考和思想的发展就失去了刺激和动力，组织就会变得毫无生气，停滞不前”。纳伯根(Nebgen，1978 年)认为，“直到现在，冲突一直被认为是一种破坏力。只是在过去的十年间人们才开始认识到，冲突对于改进组织内部的工作、对于帮助组织克服陈腐的组织惰性所具有的重要作用”。

在学校中，冲突以及学会处理是儿童成长的重要方面。在教学中，引发儿童的认知冲突，特别是道德教育中引发儿童内心的价值冲突，都是重要的教育策略。

另类

“另类”是一个非常新锐的词。它可用来形容任何一种与众不同的人和事。用它来形容人时，另类是指社会中的一种人，他们的价值与行为，无论是思维方式还是审美趣味，也无论是生活态度还是待人接物，都和社会主流的思想和行为大相异趣。他们是一群不满足于现状、不断寻求个人发展空间的人。他们代表了某一种非主流的生活态度和非常内在的价值观。他们远离社会角色，不戴面具，不着戏装，没有任何可以给他们定位的外在标志。

在对“另类”人群的描述中，吴文光先生用了“不满足现状”和“自我选择”这样两个关键词。往大里说，“不满足现状” 是人类成长进步的重要动力之一；往小里说，它是曾经被称为“盲流”的各色人等最恒久的内心冲动。而如果没有选择一种“边缘”状态，“另类”也就难以成立。宽容另类，欣赏另类，是一个社会乃至个人成熟的标志。社会的多样化，另类们功不可没。

多元文化教育

这一概念相对于“单一文化的教育”。所谓“单一文化的教育”，其目的在于每个受教育者社会化之后，都能认同主流文化，并能融入主流文化之中。为了强化对主流文化的认同感，时常贬低其他文化，甚至剥夺其他文化的生存空间，终至被排除在课程内容之外。“多元文化教育”承认社会本来具有许多文化，各种文化均有其存在的价值，均有其生存的空间，均能在整个文明中找到它的适当位置，均应受到尊重。

科研兴校

科研之所以能够兴校就在于：

·有助于明确办学思想和教育追求；办学思想是一所学校的灵魂，是一个方向问题。方向对了，路再远，也会有抵达的那一天。

·有助于用先进的教育思想凝聚人心，鼓舞士气，营造良好的育人氛围；“对于学校的领导，首先是教育思想的领导；其次才是行政的领导”。

·科研给予教师发展的空间和机会，有助于丰富教师工作的动机与明确努力的方向，从而使教师获得更快、更好的成长。

·在学校中，探索本身就具有教育的价值。因为探索带给人的是开放的心态、学习的需要、超越的意向和成长的渴望。

合作论坛

“优秀教师与教育专家合作论坛”是一种多方互动的教师培训方式。她是北京师范大学基础教育课程研究中心为了“宣传课程改革的精神，探索有效教学的途径，架设理论与实践的桥梁，服务于教师的成长”而创办的教师培训活动。

这一活动分五个环节，历时两天。五个环节为教学观摩、自我反思、专家点评、学术演讲、现场对话。这是一种活动，一种探索，一种分享，一个机会。合作论坛坚持以“公益性、探索性、互动性”为活动宗旨，服务于中国的教育事业。因为它的创办人坚信：成就名师就是成就希望。

这一活动得到了中山大学教育学院、北京师大海威教育集团、福建师大课程中心、西南师大课程中心、清华大学云舟网络教育实验室、石家庄市教科所、教育科学出版社、福建教育出版社、河北教育出版社、湖南出版集团、上海教育出版社、北京师大出版社、《明日教育论坛》、《素质教育博览》、《教育现代化》、《中小学管理》、《教育参考》、《小学青年教师》、《教育时报》、《中国教育资讯报》、《少年素质教育报》等机构的合作与支持。

后记

在我看来，书至少有两种写法：一种是经过慢慢推敲，细细咀嚼，“慢工出细活”的那种，像蜜蜂博采众长之后酿出的蜜；它是基于个人经验，用心血、用生命、用道义和良知写成的。另一种是有一个基本的框架，一些基本的命题，然后用大量的文献资料来填充这些框架，来论证这些命题的合理性；这种书也是有价值的，但更多的是文献检索的价值。今天，市面上愈来愈多的是后一种书。

您读到的这本教育随笔，是我近十多年来集腋成裘的产物，也是一本为教育实践工作者写的书。我力图在理论的面包上涂抹上诗性的奶酪，我希冀这不仅会更可口，也更可能有助于读者的消化和吸收。虽不敢说是“十年磨一剑”，但“批阅十载，增删五次”却一点都不夸张。其中的绝大多数文章，都在《中国教育报》、《中小学管理》、《教育参考》、《素质教育博览》、《小学青年教师》、《教师博览》、《中小学教学研究》、《明日教育论坛》、《名校长工程论坛》、《教育时报》等报刊上发表过，而且有20多篇做过多家刊物的卷首语。在这里，我要向这些报刊的编辑同仁们致以真诚的谢意和敬意。

在教育学这一领域，任何缺乏彻底的人文关怀的探索,是注定走不了太远的。在我看来,人文关怀与表达的诗意有着内在的关联。诗意,决不是无病呻吟,更不是矫情自饰、撒娇卖俏,而是真情的自然流露、心灵的率真表达,是人性完整的自在与自明。守护神秘和诗意，与追求澄明和简洁其实是可以共存于深邃纤细的心灵的。神秘与澄明的区别,诗意与简洁的不同,其实就是人性与物理的差异,艺术与科学的分野。

我力图创造出一种融哲学的理趣、散文的韵致和宗教的情怀于一体的表述风格。因此,我更愿意用“心”来写一点文字,让读者读出启迪之外的一点激动,一点推动,一点感动;读出一种情怀,一种心境,一种胸襟,一种器局,读出一个完整的、活生生的、有血有肉的人来。我相信有心的地方,就会有发现;有发现的地方,就会有欣赏;有欣赏的地方,就会有爱;有爱的地方,就会有美;有美的地方,就会有自由;有自由的地方,就会有快乐! 快乐应该成为我们追求的重要目标。

对于思想和表达而言,深刻是一种美,独到是一种美,不用说,精致也是一种美。一开始,我们也许有点牵强,有点雕琢,有点斧凿,慢慢地,我们会渐趋成熟,渐趋自然。毕竟,附庸然后风雅。学会等待,不急于求成,对别人如此,对自己又何尝不是如此?

十分感谢劳凯声教授和张文质先生为本书作序。他们真诚而又深邃的文字给本书增色不少，令我心存感激。劳先生是教育理论界的知名学者,他是一个治学十分严谨的人，但他对我的随笔写作一直给予鼓励和鞭策。张文质是一个诗人,也是办刊物的天才。一本小小的刊物,一堆普通作者的稿件,经他的创化,会令你爱不释手,如获至宝,读来亲切、温馨。原因恐怕就在于他就是一个写作的高手，一个有着非凡鉴赏力的博览群书的人,一个敢于担待的人。

我要深切地感谢李澄女士,她的插图意象充沛,典雅而又轻盈，厚重而又灵动，使得读者在浏览文字之余,还能欣赏到美妙的画作。我还要感谢我的妻子徐涛女士,她几乎是我每一篇文章的第一个读者,由于她的聪慧以及作为教师丰富的体验，使得她每每能够提出比较中肯的修改意见。

写作是一种告别自我的方式，过去的感受与思考凝聚在文字里,那是往昔的剪影。洗去昨日的风霜,带着不变的理想,准备着迎接明天,于是又再一次出发,只有目标,没有终点。

肖　川

二〇〇二年三月十六日

图书在版编目(CIP)数据

教育的理想与信念/肖川著. —长沙:岳麓书社,2002.6(2021.7 重印)
ISBN 978-7-80665-178-0

Ⅰ. 教… Ⅱ. 肖… Ⅲ. 教育学—文集 Ⅳ. G40-53

中国版本图书馆 CIP 数据核字(2002)第 033880 号

JIAOYU DE LIXIANG YU XINNIAN
教育的理想与信念
作　　者:肖　川
责任编辑:丁双平
封面设计:山和水设计工作室

岳麓书社出版发行
地址:湖南省长沙市爱民路 47 号
直销电话:0731-88804152　0731-88885616
邮编:410006

版次:2002 年 6 月第 1 版
印次:2021 年 7 月第 2 版第 18 次印刷
开本:890×1240　1/32
印张:9.75
字数:182 千字
印数:244 001—248 000
书号:ISBN 978-7-80665-178-0
定价:45.00 元

承印:长沙裕锦印务实业有限公司

如有印装质量问题,请与本社印务部联系
电话:0731-88884129